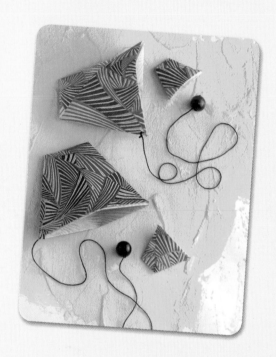

Meine bunte Bastelkiste

voller frecher Ideen

Hast du dich schon einmal als furchterregende Hexe oder schrecklicher Pirat verkleidet, ganz alleine einen Bilderrahmen aus Holz gezimmert oder süße Bilder aus Stoff angefertigt? In diesem Buch findest du eine Vielzahl spannender Ideen, die du ganz leicht alleine oder mit Hilfe deiner Eltern umsetzen kannst. Jedes Bastelmodell bringt außerdem eine tolle Spielidee mit, die viel Spaß macht – alleine oder mit Freunden, wenn es draußen regnet oder an sonnigen Ferientagen.

In jedem Kapitel wird mit einem bestimmten Material gearbeitet, sodass du die ganze Palette von Papierfaltideen, über Holzarbeiten, tollen Gemälden, Nähprojekten bis hin zu Natur- und Recyclingmaterialien kennenlernst.

Falten, Kleben, Schneiden, Sägen, Filzen, Malen – in diesem Buch findest du alle Basteltechniken, mit denen du die tollsten Meisterwerke entstehen lassen kannst. Los geht`s!

So wird's gemacht

Grundausstattung

* Bleistift
* Radiergummi
* Anspitzer
* Transparentpapier
* dünne Pappe
* Kopierpapier (bzw. Paus- oder Kohlepapier)
* Schere, Nagelschere
* Cutter mit passender Schneideunterlage
* dünner, wasserfester Stift in Schwarz und Rot
* Lackmalstift in Weiß

* Pinsel in verschiedenen Stärken
* Malschwämmchen
* scharfes Küchenmesser
* Wattestäbchen und Zahnstocher
* Bohrmaschine
* Laubsäge
* Schmiergelpapier
* Heißkleber
* UHU Alleskleber Kraft
* Klebestift
* Klebefilm
* Nähnadel

So wird's gemacht

Vorlagen übertragen

1 Du legst das Architektenpapier (oder auch Kohlepapier) auf den Vorlagebogen und paust mit einem Bleistift alle benötigten Motivteile ab. Wenn du eine Schablone herstellen willst, klebst du das Architektenpapier auf eine dünne Pappe und schneidest dein Motiv sorgfältig aus.

2 Lege die Schablone auf das gewünschte Material und umfahre sie mit einem Bleistift. Wenn das Papier bedruckt ist, solltest du das Motiv seitenverkehrt auf die Rückseite übertragen.

3 Wenn du Gesichter übertragen willst, paust du die Gesichtskonturen mithilfe des Transparentpapiers ab. Lege das Papier auf das Motiv und ziehe die Konturen vorsichtig nach, danach können sie noch in der gewünschten Farbe nachgezogen werden

4 Setze das Motiv gemäß der jeweiligen Anleitung und Vorlage zusammen und bemale es anschließend. Die Wangen kannst du durch Aufreiben röten. Spitze dafür z. B. einen rosa Buntstift an und reibe mit dem Zeigefinger über die Anspitzreste bis er die Farbe angenommen hat. Jetzt kannst du die so aufgenommene Farbe auf dein Bild übertragen.

Papierfaltungen
Grundform „Windrad"

1 Zunächst benötigst du ein Papier in quadratischer Form. Lege jetzt das Papierquadrat mit einer Ecke nach unten und einer nach oben vor dich hin. Jetzt faltest du die untere Ecke genau auf die obere Ecke. Streife den Bruch mithilfe deines Daumennagels fest aus. Öffne die Faltung wieder und gehe mit den anderen beiden Ecken genauso vor.

2 Jetzt legst du das Quadrat mit zwei Ecken nach unten und oben vor dich hin. Du musst die untere Kante genau auf die obere Kante falten und den Knick mit dem Daumennagel wieder gut nachziehen. Wiederhole die Schritte mit den anderen beiden Kanten.

3 Jetzt kannst du deine Faltarbeit wieder öffnen.

4 Die Linke und die rechte Kante werden nun an den Mittelbruch gefaltet

5 Die Faltung wieder öffnen und die gleichen Schritte durchführen mit den beiden anderen Kanten, jetzt das Papier wieder entfalten

6 Falte jetzt die Ecken bis zum ersten Bruch nach, sodass es aussieht wie ein Tischtuch.

7 Drehe das Tischtuch jetzt um, sodass die Ecken oben liegen. Drücke jetzt die Seiten nach innen

8 Falte zum Schluss jede Spitze nach links und streiche die Faltkanten wieder gut aus. Jetzt ist dein Windrad fertig.

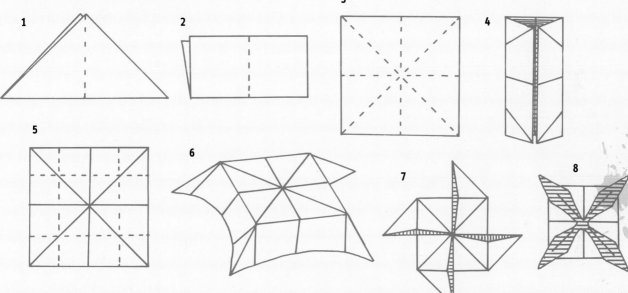

Grundform „Dreieck"

1 Falte dein Papierquadrat senkrecht in der Mitte und öffne es wieder.

2 Wende das Papier und falte die Schräglinien von Spitze zu Spitze. Öffne dann das Papier wieder.

3 Falte dein Quadrat nun waagerecht.

4 Schiebe und falte die rechte obere Ecke nach innen.

5 Wiederhole den Arbeitsschritt mit der linken oberen Ecke.

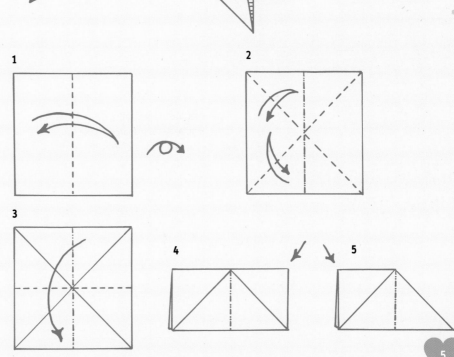

Windowcolor

1 Mit Windowcolor kannst du auf verschiedenen Folientypen malen: PP Malplatten sind etwas dicker als andere Folien und deswegen besonders zu empfehlen. Auch Prospekthüllen kannst du gut verwenden, da du die Vorlage direkt hinein schieben kannst und sich das fertige Motiv direkt ablösen lässt. Falls du dein Motiv nicht auf ein Fenster streichen willst, sondern frei in den Raum hängen möchtest, dann kannst du Mobilefolie, die einen festen Untergrund bildet, benutzen. Wenn du mit deinem Modell fertig bist, schneide es aus und steche an geeigneten Stellen mit einer Prickelnadel hinein und ziehe eine Faden hindurch.

2 Um deine Vorlage zu fixieren, kopierst du sie auf die gewünschte Größe und klebst sie mit Trägerfilm unter die Trägerfolie.

3 Um die Konturenfarbe aufzutragen, ziehst du alle Linien nach, lasse die Vorzeichnung gut trocknen. Die Zeit des Trocknens kann dabei zwischen einer und fünf Stunden liegen. Ob du die Konturenfarbe dick oder fein auftragen möchtest, kannst du mit unterschiedlichem Druck auf die Farbtube variieren. Du könntest ja, bevor du dich an die eigentliche Arbeit machst, noch ein wenig üben, wie man feine und dickere Striche macht. Für Kinder gibt es übrigens spezielle Flaschen, die sich leichter drücken lassen.

4 Um deine Farbfläche auszumalen, füllst du sie grußzügig mit Farbe. Dabei solltest du darauf achten, dass die Füllfarbe direkt an die Konturenfarbe anschließt. Das ist wichtig, denn die beiden Farben müssen sich miteinander verbinden, damit beim Abziehen keine Risse entstehen. Wenn du ganz kleine Flächen ausfüllen musst, kannst du z. B. einen Zahnstocher oder eine Stecknadel benutzen, um die Fläche auszufüllen. Falls sich kleine Luftblasen bilden, solltest du diese gleich mit einer Nadel aufstechen.

5 Möchtest du in deinem Bild Spezialeffekte haben, so kannst du auch mit mehreren Farben in einer Fläche arbeiten. Dabei muss die Farbe unbedingt noch feucht sein. Jetzt kannst du mit einem Zahnstocher schöne Muster und Schattierungen in dein Bild zaubern.

6 Ist dein fertiges Motiv getrocknet, kannst du es ausschneiden oder von der Folie abziehen und auf Fenster, Fliesen oder ein Plastiktischset streichen. Mithilfe eines Föns lässt sich das Windowcolorbild jeder Zeit wieder ablösen.

Pappmaché

1 Zerreiße das Zeitungspapier (wenn die Bastelarbeit transparent werden soll, nimmst du Seidenpapier) in kleine Stücke, ca. 4 cm x 4 cm groß. Streiche dann die Form, die du bekleben möchtest, dick mit Tapetenkleister ein und klebe die Zeitungspapierschnipsel leicht überlappend auf. Trage nach jeder Schicht neuen Kleister auf bis du ca. 3 bis 4 Lagen hast. Nun alles glattstreichen und trocknen lassen.

2 Jetzt kannst du die Motivteile aus Fotokarton ausschneiden. Knicke eine Klebekante nach hinten und klebe sie fest. Zum Kleben kannst du Alleskle-ber, eine Heißklebepistole oder Malerkrepp verwenden. Jetzt kannst du Wattekugeln für die Augen und Toilettenpapierröllchen als Körperdekor hinzufügen.

3 Unebenheiten kannst du mit Pulpe ausgleichen, einem feinen Brei aus Kleister und Toilettenpapier.

4 Ist dein Objekt getrocknet, kannst du es weiß grundieren und anschließend bemalen.

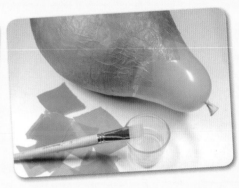

Basteln mit Alltagsfundstücken

Aus Recyclingmaterialien wie Joghurtbechern, Eierkartons, Käseschachteln und Korken und lassen sich herrliche Objekte gestalten. Achte darauf, dass diese Abfallelemente gut gespült sind. Dadurch werden eventuell anhaftende Keime entfernt und die Kunstwerke riechen später nicht. Schmirgle scharfe Kanten gegebenenfalls mit Schleifpapier glatt.

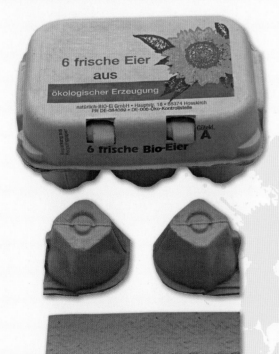
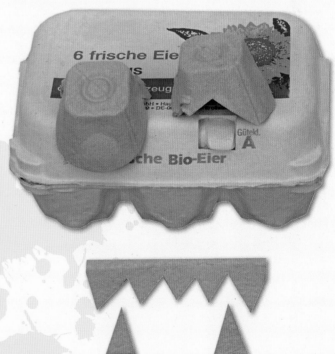

Filzen

1 Zuerst wird die Wolle gezupft. Zum Zupfen legst du das ausgedünnte Strangende in einen Handballen und ziehst mit dem anderen eine Strähne heraus. Lege die Strähne dann dachziegelartig aus.

2 Besprühe deine Wollfläche mit warmer Seifenlauge (Schmierseife mit Wasser). Filze jetzt die ausgelegte Wolle durch vorsichtige, kreisende Bewegungen an. Während des Filzens kannst du dann den Druck langsam steigern, aber achte darauf, immer nur soviel Druck auf die Wolle auszuüben, dass sich die Wollfasern nicht verschieben. Reibe beim Filzen immer von außen nach innen, sonst können Löcher und dünne Stellen entstehen. Hat sich die Oberfläche gefestigt, sodass du keine Fasern mehr aus dem Vorfilz ziehen kannst, beginnt das Walken.

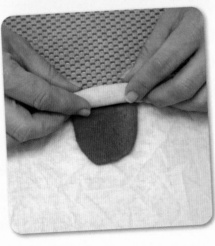

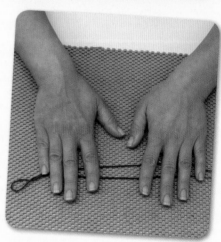

3 Zum Walken von Flächen rollst du die Filzarbeit in ein Hand- oder Leintuch ein und rollst das ganze unter starkem Druck dann ca. 2 Minuten vor und zurück. Dann öffnest du das Tuch und drehst deine Filzarbeit um 90 Grad und beginnst erneut zu walken. Auf diese Weise bearbeitest du alle Seiten gleichmäßig.

4 Möchtest du z. B. Bälle oder Schnüre filzen, kannst du das Objekt ohne weitere Hilfsmittel über die Antirutschmatte rollen.

5 Wasche abschließend die Seife aus der Wolle und lass dein Objekt trocknen.

Nähstiche

1 Mit dem Vorstich (Heftstich) lassen sich Motivteile verbinden. Er ist der einfachste Stich. Mache einen Knoten in das Fadenende, stich mit der Nadel durch den Filz nach unten und im gleichen Abstand wieder nach oben.

Vorstich

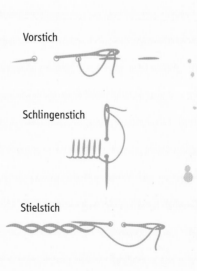

2 Die Randeinfassung stickst du im Schlingstich. Er wird immer von innen nach außen gestickt. Die Schlinge entsteht, indem du die Nadel beim Anziehen des Fadens über das Stickgarn legst.

Schlingenstich

3 Haare und Mund machst du mit dem Stielstich. Am einfachsten stickst du sie bereits vor dem Zusammennähen der Tasche auf, dann nähst du nicht versehentlich die Rückseite mit fest.

Stielstich

Naturkunst

Naturkunst oder „Landart" ist das Basteln mit Naturmaterial im Außenraum. Ein Vorrat an Sand, Stöcken, Beeren, Steinen, Zapfen, Blättern, Blüten aber auch Eis kann also nicht schaden. Besonders beeindruckend sind großformatige Bastelarbeiten. Man kann beispielsweise stecken, stapeln, legen, einfrieren, einbinden oder säen und wachsen lassen. Da man mit natürlichen Formen gestaltet, benötigt man fast keine Hilfsmittel – bis auf jede Menge kindlichen Spieltrieb!
Aber natürlich kannst du deine Naturfundstücke auch zu Hause am Basteltisch verwenden und mit ihnen z. B. Fensterbilder bekleben.

Farben für Kinder

Acrylfarbe, Dispersionsfarbe oder Temperafarbe kannst du für Papier, Karton und Holz beliebig austauschen. Die Farben sind in verschiedenen Größen erhältlich, wasserlöslich und lassen sich gut mischen. Aber du darfst niemals an den Farben lecken! Selbst Farben auf der Basis von Lebensmittelfarbe sind nicht gesund. Man kann übrigens nicht nur Papier und Salzteig mit Farbe gestalten, sondern auch Stoff bunt batiken, wie du auf Seite 70 siehst.

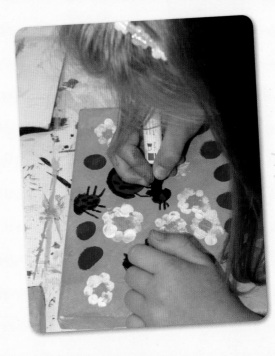

Papier

Ritter Linus

Jakob

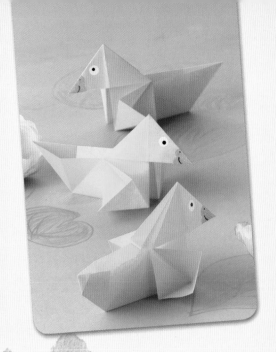

Papier kann man falten, bekleben,
bemalen, knüllen, zerreißen und man
kann sogar richtiges Spielzeug damit
basteln. Viel Spaß!

Kunterbunter Malerhut

für kleine Handwerker

ab 4 Jahren

MATERIAL
* Zeitungspapier
* Tonpapier in Rot, A3
* Acrylfarbe in beliebig vielen Farben
* Pinsel

Lege eine große Unterlage unter die zugeschnittenen Papierstücke und ziehe dir alte Kleidung an, damit du beim Spritzen der Farbe viel Spaß hast, aber keine Flecken abbekommst.

Mein Tipp für dich

1 Falte das rechteckige Zeitungspapier quer in der Mitte nach unten.

2 Dann faltest du das Papier längs in der Mitte zusammen und öffnest es wieder.

3 Falte nun beide Ecken zum Mittelbruch.

4 Das überstehende Papier auf der Vorder- und Rückseite faltest du auf jeder Seite nach oben. Klappe zuerst die Ecken links und rechts nach hinten um, ...

5 ... bevor du den Hut wendest und die hinteren Ecken nach vorn knickst.

6 Fertig ist der Malerhut! Du kannst ihn gleich aufsetzen oder erst noch verzieren.

7 Schneide für die rote Hutspitze ein Quadrat in der Größe 20 cm x 20 cm und für die Zierstreifen der Hutkrempe zwei Streifen von 3 cm Breite und 42 cm Länge zu.

8 Mit Pinsel und Farbe spritzt du die zugeschnittenen Papierteile bunt an. Dazu nimmst du viel Farbe auf den Pinsel und schleuderst deine Hand von oben nach unten auf die Papierstücke. Das kannst du mit beliebig vielen Farben wiederholen. Lass die so entstandenen Farbkleckse und Streifen anschließend gut trocknen.

9 Zum Schluss faltest du das Quadrat zu einer Hutspitze. Die Anleitung für die Dreieckfaltung findest du auf Seite 5. Falte die dort abgebildeten Schritte 1 bis 5. Danach steckst du das Dreieck auf den Zeitungshut und klebst es fest. Die beiden Zierstreifen klebst du beidseitig auf die Hutkrempe.

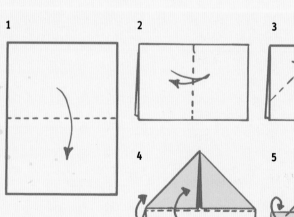

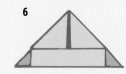

Alle meine Entchen

... schwimmen auf dem See

ab 5 Jahren

MATERIAL
* Faltblatt in Gelb, 15 cm x 15 cm
* 2 Selbstklebepunkte in Weiß, ø 8 mm
* Buntstift in Orange
* dünner Filzstift in Schwarz

1 Falte wie auf Seite 5 beschrieben ein Windrad (Zeichnung 1). Klappe dann das obere Dreieck samt linkem oberen Flügel nach hinten um. Dabei klappt der untere Flügel von selbst nach oben und du erhältst Form 2, die wie eine Vase aussieht.

2 Falte nun Flügel b auf Flügel a. Die Form sieht danach wie auf Zeichnung 3 aus.

3 Als Nächstes wird das obere Dreieck umgeschlagen, wodurch die Mützenfalte für den Kopf entsteht. Öffne die Figur an der rechten Seite und stülpe das Dreieck nach vorn um (rechts). Streiche die Falte zwischen dem markierten Punkt zur Papierspitze hin aus und lege die Figur vorsichtig wieder zusammen. Dabei rutscht das Kopf-Dreieck nach unten. Die Faltarbeit sieht nun wie auf Zeichnung 4 aus.

4 Ziehe dann die unteren Ecken der Flügel nach oben und falte die Dreiecke zu Quadraten. Die Entenform ist fertig. Wenn du möchtest, kannst du dem Tier noch ein kleines Schwänzchen falten (siehe Ente vorn auf dem Foto).

5 Nun geht's ans Gestalten des Tiers! Bringe die Selbstklebepunkte als Augen an und male die Pupillen und den Schnabel mit den Farbstiften auf.

1
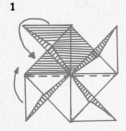

2
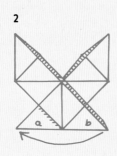

3
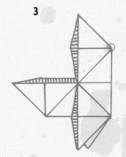

4
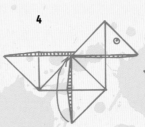

5
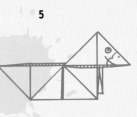

Schicke Falttasche
aus schönem, gemustertem Papier

ab 4 Jahren

MATERIAL
* Scrapbookingpapier in Orange mit Blümchenmuster, 30 cm x 30 cm
* Satinbänder in Rosa, Burgund und Orange, 4 mm breit, je 1,3 m lang
* Lochzange

1 Falte dein Papier zu einem Dreieck, indem du die untere Spitze nach oben faltest.

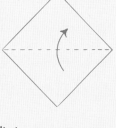

2 Als Nächstes faltest du die obere rechte Kante des Dreiecks auf die Unterkante. Die Faltarbeit sieht nun wie in der Skizze aus. Öffne die Faltung wieder.

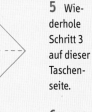

3 Falte jetzt die rechte Spitze nach links zum markierten Punkt.

4 Eine Papierlage der oberen Spitze faltest du dann an der gestrichelten Linie nach unten und steckst sie in die Innentasche. Anschließend wenden.

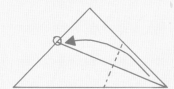

5 Wiederhole Schritt 3 auf dieser Taschenseite.

6 Wiederhole Schritt 4 auf dieser Seite.

7 So sieht deine fertige Tasche aus.

8 Stanze nun ca. 2,5 cm unterhalb der Oberkante jeweils ein Loch in die Seitenwände und fädle die Satinbänder durch. Lasse links und rechts der Tasche ca. 15 cm lange Bänder überstehen, bevor du mehrere Knoten zur Fixierung machst.

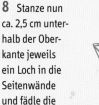

Wirbelnde Windräder

Schiff ahoi!

ab 6 Jahren

MATERIAL

* Tonkarton in Rot und Rot-Weiß gestreift oder Blau und Blau-Weiß gestreift oder in Blau mit Wassermotiv, A4
* Tonkartonreste in Hautfarbe, Blau mit weißen Punkten, Schwarz, Rot, Weiß oder Orange
* Holzstab, ø 1 cm
* 3 Holzperlen in Rot, ø 1,2 cm
* Filzstifte in Schwarz und Rot
* Buntstift in Rot
* Drahtstück, ø 1 mm, ca. 30 cm lang
* Schaschlikstäbchen
* Stopfnadel
* Bleistift
* Schere

VORLAGE SEITE 134

1 Als erstes schneidest du den Piraten bzw. den Matrosen oder den Seestern wie auf Seite 4 beschrieben aus Tonpapier aus und klebst die einzelnen Teile zusammen. Die Vorlagen findest du auf Seite 134. Dann schneide aus Tonkarton ein 21 cm x 21 cm großes Quadrat für das Windrad aus.

2 Male das Gesicht auf. Für die Wangen spitzt du den roten Buntstift an und reibst eine Fingerkuppe in den Anspitzerresten. Diese Farbe trägst du mit kreisenden Bewegungen auf die Wangen auf.

3 Steche an den mit einem Punkt markierten Stellen mit der Stopfnadel Löcher in den Tonkarton und weite sie mit dem Schaschlikstäbchen etwas, damit sie schön rund werden. Schneide das Papier an den gestrichelten Linien ein.

4 Jetzt steckst du die Windräder zusammen. Wickle dazu den Draht mehrmals um das obere Ende des Holzstabs. Dann fädelst du eine Perle auf und stecke das Windrad mit dem Loch in der Mitte auf. Nimm nun alle vier Spitzen zur Mitte und schiebe sie auf den Draht.

5 Fädle wieder eine Perle auf.

6 Nun schiebe den Piraten, den Matrosen bzw. den Seestern auf den Draht und fädle wieder eine Perle auf. Verdrehe das Drahtende zu einem kleinen Knoten und schneide den Rest ab.

An der Nord- oder Ostsee weht immer eine steife Brise, bastle diese Windräder und nimm sie beim nächsten Urlaub mit an den Strand!

Mein Tipp für dich

Tapferer Wikinger
– segelt um die Welt

ab 5 Jahren

1 Übertrage alle Vorlagen aufs jeweils passende Papier. Klebe die roten Streifen auf das weiße Segel und ergänze oben den Mast mit der Flagge. Die Goldverzierungen auf den Schiffsrumpf kleben. Klebe dann den schwarzen Innenraum des Schiffes auf.

2 Die Ausschnitte aus der hellblauen Welle ausschneiden und dann auf die dunkelblaue Welle kleben. Nun das Schiff darauf platzieren.

MATERIAL
* Fotokarton in Weiß, Hell- und Dunkelblau, Dunkelbraun, Rot und Schwarz, A4
* Fotokartonreste in Gelb, Hautfarbe, Braun, Hellbraun, Rotbraun, Gold, Orange und Hellgrün
* wasserfester Filzstift in Gold
* Filzstift in Schwarz
* Buntstifte in Weiß, Hellblau, Orange, Rot und Braun
* Nähgarn in Natur

VORLAGE SEITE 134

3 Schneide den Schild einmal komplett in Hellbraun aus. Die farbigen Kreissegmente direkt nebeneinander aufkleben und mittig den gelben Kreis ergänzen. Dann auf das Schiff kleben.

4 Befestige auf dem Haarschopf das Ohr und klebe es dann auf das Gesicht. Das andere Haarteil hinter dem Kopf anbringen. Die Hörner hinter dem Helm aufkleben und dann dem Wikinger aufsetzen. Klebe den Kopf auf das Shirt und ergänze die Weste. Die Hose hinter den Oberkörper kleben. Die Schuhe mit Nähgarn umwickeln und hinten verknoten, dann auf die Füße kleben und die Beine von hinten an die Hosenbeine kleben.

5 Klebe die Arme an und klebe dann das Paddel auf die Hand. Die Finger darüber platzieren. Setze den Wikinger auf das Schiff und klebe das Segel dahinter. Übertrage die restliche Bemalung und gestalte das Gesicht wie auf dem Foto.

Graziöse Ballerinen

anmutig und zart

ab 6 Jahren

Kleine Ballerina

1 Übertrage alle Vorlagen auf Fotokarton und schneide die Einzelteile aus.

2 Umrande Kleid und Schuhe mit pinkfarbenem Gel-Glitterstift und male auf das Kleid gemäß der Abbildung mit Buntstift rosa Pünktchen. Das große Stück Tüll zu einem Unterrock raffen und mit Heißkleber hinter den Rock kleben. Klebe jetzt Schuhe auf die Beine und Satinbandstücke (etwas länger zuschneiden) gemäß der Abbildung auf die Fesseln, dann auf der Rückseite mit Heißkleber fixieren. Klebe dann die Beine hinter das Kleid.

3 Klebe die Haare hinter das Gesicht und verziere sie mit goldenem Glitter-Gelstift. Das Gesicht gestalten und die Strasssteinchen als Ohrringe aufsetzen. Aus einem Tüllrest eine Schleife drapieren und diese auf die Haare kleben. Dann die Blüten aufkleben. Fixiere anschließend das Kleid auf dem Körper.

Große Ballerina

1 Übertrage alle Vorlagen auf Fotokarton und schneide die Einzelteile aus.

2 Klebe den weißen Body auf den Oberkörper, die Haare hinters Gesicht und umrande sie anschließend mit dem Gelstift in Gold. Jetzt kannst du das Gesicht gestalten.

3 Das vordere Rockteil unten auf dem Body platzieren, das gebeugte Bein hinterkleben, dann das zweite Rockteil dahinter ergänzen und das ausgestreckte Bein befestigen.

4 Beklebe die Beine mit weißem Satinband (siehe kleine Ballerina), die Enden hinten festkleben, dann die Schuhe ankleben. Rock und Schuhe mit Acrylic-Effects bepinseln und gut trocknen lassen.

5 Klebe Strasssteinchen als Schuhverzierung und Ohrringe auf, anschließend die Rose und etwas Tüll ins Haar kleben. Zum Schluss kannst du den Rock mit einem pinken Glitter-Gelstift umranden.

Türschilder mit Wappen

für die Kammer verwegener Ritter

ab 6 Jahren

MATERIAL
LÖWE

* Fotokarton in Rot und Weiß, je 15 cm x 30 cm
* Fotokarton oder Tonpapier in Schwarz, 10 cm x 15 cm
* Fotokartonrest in Blau
* Alukarton in Silber, 36 cm x 20 cm
* Filzstift in Schwarz
* Lochzange

DRACHE

* Fotokarton in Blau, 30 cm x 20 cm
* Fotokarton oder Tonpapier in Weiß, 20 cm x 20 cm
* Fotokarton oder Tonpapier in Schwarz, 20 cm x 15 cm
* Fotokartonrest in Rot
* Alukarton in Silber, 36 cm x 20 cm
* Filzstift in Schwarz
* Lochzange

VORLAGE SEITE 135

Löwe

1 Den Schild schneidest du einmal in Rot und einmal in Weiß aus. Den weißen Schild schneidest du einmal senkrecht genau in der Mitte durch. Diese Hälfte schneidest du nun quer etwa in der Mitte durch. Die obere Hälfte klebst du rechts oben auf den roten Schild, die untere Hälfte wendest du und klebst sie links unten auf den roten Schild.

2 Schneide den Löwen aus, sein Auge wird mit der Lochzange ausgestanzt. Dann kannst du den weißen Kartonstreifen mit deinem Namen beschriften und ihn auf den etwas größeren roten Streifen kleben. Klebe dann den Löwen und das Namensschild auf. Zum Schluss wird das Schwert angebracht.

Drache

1 Übertrage alle Motivteile auf Karton und schneide sie aus. Das Schwert und den Schwertgriff benötigst du zweimal. Die weißen Streifen werden ohne Schablone zugeschnitten. Sie sind 3,5 cm breit und 20 cm lang.

2 Klebe die weißen Streifen auf den blauen Schild. Einen der Streifen beschriftest du mit deinem Namen, bevor du ihn aufklebst. Die überstehenden Streifenenden werden abgeschnitten. Das Auge des schwarzen Drachen stanzt du mit der Lochzange aus, bevor du ihn auf den Schild klebst. Zum Schluss klebst du die gekreuzten Schwerter auf.

Ritter Jakob
in voller Rüstung

ab 5 Jahren

Brustpanzer

1 Dein Karton sollte so groß sein, dass du für Brust- und Rückenteil zwei große Stücke, ca. 30 cm breit und 38 cm hoch, abschneiden kannst. Die Längsrillen müssen senkrecht verlaufen. Vielleicht bist du auch schon etwas größer, dann schneidest du die beiden Stücke 35 cm breit und 45 cm hoch.

2 Halte ein Stück zur Probe an deine Brust. Der Panzer beginnt nicht am Halsansatz, sondern etwas weiter unten und er reicht unten etwa bis zur Hüfte. Biege diese beiden Teile, indem du sie an deine Brust hältst und die Seiten unter den Armen nach hinten drückst.

3 Die beiden Schulterteile sind jeweils 30 cm lang und 15 cm breit. Auch hier musst du den Verlauf der Längsrillen im Karton beachten. Die Schulterteile werden wie eine Brücke gebogen und dann wieder geglättet.

4 Klebe oben an die beiden Ecken des Brustteils jeweils eine Ecke eines Schulterteils an. Nimm reichlich Klebstoff und halte die Klebestelle mit Wäscheklammern zusammen. Wenn der Klebstoff trocken ist, wird das Rückenteil ebenso angeklebt. Danach kannst du mit der Schere die Ecken abrunden.

5 Schneide das Brustteil- und das Rückenteil 5 cm unterhalb des Schulterteils auf beiden Seiten 4 cm tief ein. Hier werden mit dem Schaschlikstäbchen vier Löcher für den Bindfaden eingestochen.

6 Jetzt wird der Panzer mit Silberfarbe bemalt. Am besten nimmst du dafür ein Schwämmchen. Nach dem Trocknen klebst du das aus Tonkarton ausgeschnittene Kreuz auf. Erst jetzt werden die Bindfadenstücke eingefädelt und passend zu deiner Größe verknotet.

Variabler Helm

1 Fertige vom Helmteil eine Schablone an und stanze mit der Lochzange die fünf Löcher ein. Lege die Schablone auf den Alukarton und zeichne den Umriss zehnmal auf, ebenso die Löcher. Schneide die Helmteile aus und stanze dann die Löcher aus.

2 Jetzt kannst du den Helm zusammenfügen. Die Teile haben oben, an der späteren Helmspitze, ein Loch und unten am Helmrand jeweils

zwei Lochpaare. Lege zwei fertige Helmteile so auf den Tisch, dass ein Lochpaar des einen Helmteils genau auf einem Lochpaar des anderen Helmteils liegt. Stecke durch die beiden Löcher jeweils eine Musterbeutelklammer und spreize die Enden.

3 Verbinde so alle zehn Helmteile, bis eine Kronenform entsteht. Probiere den Helm an, vielleicht musst du ein Helmteil entfernen oder noch ein weiteres hinzufügen. Wenn der Kopfumfang passt, werden alle nach oben ragenden Kronenspitzen mit einer Musterbeutelklammer zu einem Helm zusammengefasst. Die Klammer wird von oben durch das Loch des ersten Helmteils gesteckt, dann wird das direkt daneben liegende Helmteil aufgesteckt usw.

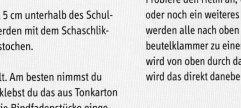

MATERIAL BRUSTPANZER
* großer Pappkarton
* Tonpapier in Schwarz
* Acryl- oder Bastelfarbe in Silber

* dicker Bindfaden, ø 3 mm bis 4 mm, 8 x 40 cm lang
* Schaschlikstäbchen

VARIABLER HELM
* Alukarton in Silber, 40 cm x 40 cm

* 19 bis 21 Musterbeutelklammern mit runden Köpfen
* Lochzange

VORLAGE SEITE 135

Der coole Kalle
hundertprozentig siegreich

ab 5 Jahren

MATERIAL

* Schultütenrohling in Weiß, 70 cm hoch
* Fotokarton in Hautfarbe, Gelb und Weiß, A4
* Fotokartonrest in Hellgrün
* Tonpapier in Schwarz und Rot, A4
* Tonpapier in Hautfarbe, A3
* Wellpapperest in Rot
* Rolle Krepppapier in Schwarz, 40 cm breit
* Satinband in Schwarz-Rot-Gold, 2,5 cm breit, 1 m lang
* Chenilledraht in Apricot, 6 x 25 cm lang
* Abstandsklebepads
* Buntstift in Braun, Hellbraun, Orange und Rot
* Filzstift in Schwarz
* Lackmalstift in Weiß
* Alleskleber

VORLAGE SEITE 142

1 Um Hose, Bein, Strumpf und Schuh anzudeuten, klebst du zuerst die hautfarbene Spitze auf die Schultüte, dann darüber den roten Strumpf. Ein Wellpappering ist das Bündchen. Aus schwarzem Papier die letzte Spitze sowie den Ring für die weiß gestreifte Hose aufkleben.

2 Das Gesicht aufmalen und mit Buntstiftabrieb in Braun kräftig „verschmutzen". Eine kleine hautfarbene Stelle an der Spitze ebenfalls verschmutzen und darüber ein weiß gepunktetes Pflaster kleben. Nach dem Auftragen der Augen die Nase, das andere Pflaster und darüber die Haare aufkleben. Eine Haarsträhne von hinten unter dem Ohr anbringen. Die Haare zusätzlich durch Buntstiftabrieb in Orange schattieren. Male mit einem Lackmalstift Akzente in Weiß auf Augen und Nase.

3 Den Kragen unter den Kopf kleben und an der Tüte fixieren. Die Zahl ergänzen. Die Arme aus Chenilledraht montieren. Die Ärmel aus Wellpappe zusammenkleben, über den Armen an der Tüte fixieren und die hellbraun schattierten Hände ankleben.

4 Den Fußball mit Filzstift ausmalen oder auf Karton kopieren und anschließend ebenfalls leicht „verschmutzen". Den Ball aufkleben, den Arm darüber biegen und ankleben. Zuletzt das Krepppapier der Manschette anbringen und mit dem Band verschließen.

Fette Beute
voll ungeahnter Schätze

ab 5 Jahren

MATERIAL
SCHATZTRUHE
* Fotokarton in Dunkelbraun,
  50 cm x 70 cm oder 30 cm x 40 cm
* Tonpapier in Schwarz, 2 x 1 cm x 36 cm,
  1 x 2 cm x 2 cm
* 13 Musterbeutelklammern,
  ø Kopf 8 mm, 2,5 cm lang

GOLDMÜNZEN
* starke Goldfolie
* verschiedene Münzen
* Kugelschreiber

VORLAGE SEITE 135

Schatzkiste

1 Übertrage die Vorlage für die Schatzkiste auf Fotokarton und für die Streifen und das Schloss auf Tonpapier, schneide alles aus und ritze mit einer spitzen Schere die gestrichelten Linien leicht an. Schneide, wie auf der Vorlage aufgezeichnet, den Karton an vier Stellen ein.

2 Klebe die Streifen aus Tonpapier links und rechts mit etwas Abstand zu den Rändern auf den Karton.

3 Jetzt kannst du die Schatzkiste falten. Klappe zunächst die beiden mittleren Quadrate hoch. Dann die Quadrate links und rechts davon auf das mittlere Quadrat kleben und den Deckel vorklappen.

4 Klebe das Schloss vorne auf die Schatzkiste, stecke eine Musterbeutelklammer durch die Mitte und biege sie hinten auseinander – die Schatzkiste ist nun verschlossen.

5 Zur Verzierung der Schatztruhe kannst du die Musterbeutelklammern in gleichmäßigen Abständen durch die schwarzen Streifen stecken und hinten auseinanderbiegen.

Goldmünzen

1 Lege eine Münze unter die Goldfolie und rubbele mit der Kugelschreiberspitze, nicht mit der Mine, sorgfältig die ganze Münze durch. Vergiss dabei die Ränder nicht!

2 Dann mit einer kleinen Schere die entstandene Goldmünze mit etwas Randzugabe ausschneiden.

Majestätischer Flugsaurier

Jäger aus Urzeiten

ab 5 Jahren

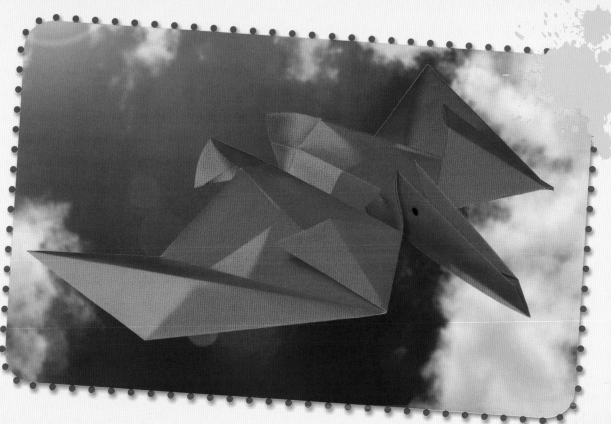

1 Falte das Papier an der Strich-Punkt-Linie zur Hälfte und öffne es wieder. Wende das Papier und falte die Ecken der linken Seite zur Mittellinie.

2 Schneide die Mittellinie vom Rand aus einige Zentimeter ein. Dann falte die beiden Kanten wie eingezeichnet an den gestrichelten Linien schräg nach links.

3 Falte die untere Hälfte an der Strich-Punkt-Linie nach hinten auf die obere Hälfte.

4 Falte die späteren Flügel auf beiden Seiten an der gestrichelten Linie nach unten und wieder nach oben.

5 Schneide die Faltlinien vorn mit der Schere wie eingezeichnet einige Zentimeter tief ein. Falte das darüber liegende Papier an der Strich-Punkt-Linie nach innen, sodass die Dreiecke zwischen den Flügeln liegen.

6 Falte den Hals an der gestrichelten Linie nach oben. Male das Auge auf.

Befestige einen Nylonfaden an deinem Saurier und hänge ihn in deinem Zimmer auf!

Mein Tipp für dich

Zarte Fensterblüher
hübsche Frühlingsdekoration

ab 4 Jahren

MATERIAL
* Transparentpapier-Faltblätter in Weiß, Pink, Violett, Blau und 2 x Hellgrün, 14 cm x 14 cm

1 Lege das Quadrat mit einer Ecke zu dir zeigend vor dich hin. Falte die untere Ecke genau auf die obere und streiche die Kante gut nach.

2 Markiere an der langen Kante unten die Mitte mit einem Bleistift. Von diesem Punkt aus faltest du beide Spitzen als Blütenblätter schräg nach oben, aber nicht bis zur oberen Spitze!

3 Die Blüte ist fertig gefaltet.

4 Für die Blumenstiele faltest du das hellgrüne Transparentpapierblatt immer wieder zur Hälfte zusammen, bis vier Brüche entstanden sind. Schneide den so gefalteten Streifen an der Markierung ab. Aus einem Blatt erhältst du so acht Stiele.

5 Falte jeden Stängel in der Mitte zusammen, sodass er doppelt liegt. Immer zwei werden ineinander gesteckt und ergeben den Stiel einer Blume.

6 Klebe die Blüten auf die Stiele. Auf das zweite hellgrüne Transparentpapier überträgst du nun die Vorlage für die Blätter. Schneide die Blätter aus und klebe sie an die Stängel.

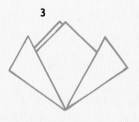
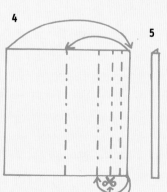
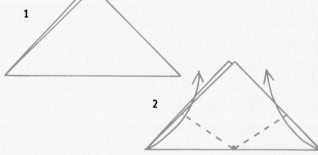

Faltbecher mit Kniff

ganz schön clever

ab 5 Jahren

1 Lege das Papierquadrat vor dich hin und falte die untere Spitze auf die obere.

2 Nimm die obere Spitze und falte sie an der gestrichelten Linie nach unten und wieder zurück nach oben. Jetzt hat das Papier eine Faltlinie, die am Rand den eingekreisten Punkt markiert.

3 Nimm nun die rechte Spitze und falte sie nach links zum markierten Punkt.

4 Jetzt nimmst du wieder die obere Spitze. Falte sie an der gestrichelten Linie nach unten und stecke sie in das darunterliegende Papier ein. Wende das Papier.

5 Falte die rechte Spitze nach links auf die kleine Ecke.

6 Nimm die obere Spitze. Falte sie an der gestrichelten Linie nach unten und stecke sie in das darunterliegende Papier ein. Der Faltbecher ist fertig!

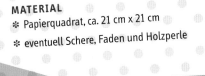

MATERIAL
* Papierquadrat, ca. 21 cm x 21 cm
* eventuell Schere, Faden und Holzperle

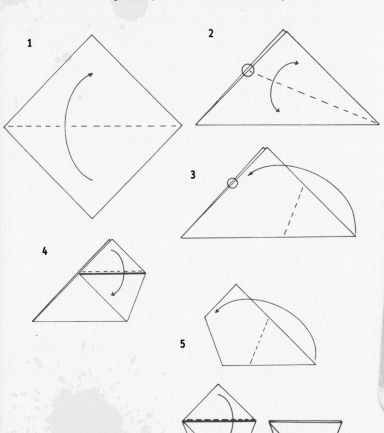

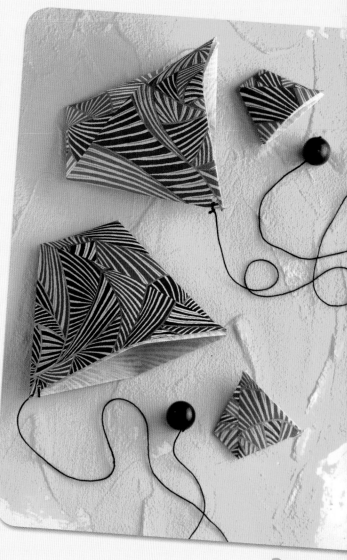

Holz

Bist du schon einmal im Sommer Ski gefahren? Mit Holz
kann man die tollsten Sachen machen! Aber es ist auch
ein Material, das etwas schwieriger zu bearbeiten ist
als z. B. Papier, deswegen brauchst du in diesem Kapitel
etwas Unterstützung von Erwachsenen, die für dich das
Bohren und Sägen übernehmen. Anschließend kannst
du nach Herzenslust das Glattschmirgeln und Bemalen
und natürlich das Spielen übernehmen!

Lustiges Alphabet

Buchstaben für die Zimmertür

Buchstaben

1 Hier muss ein Erwachsener helfen: Die Buchstaben aussägen und glatt abschmirgeln. Jetzt darfst du sie nach Herzenslust mit verdünnter Acrylfarbe bemalen. Die Holzscheiben gibt es im Fachhandel oder man kann sie herstellen, indem man einen alten Besenstiel in Scheiben zersägt.

2 Die Gesichter sind mit Acrylfarbe und Filzstiften gestaltet. Die Figuren kannst du mit Formfilz und passend bemaltem Papierdraht weiter dekorieren.

Sonne

**MATERIAL
JE BUCHSTABE**
* Sperrholzrest, 5 mm stark
* Holzscheibe, ø 2,5 cm
* Acrylfarbe in großer Auswahl
* Papierdraht in Weiß, ø 2 mm
* Formfilzreste in verschiedenen Farben

SONNE
* Massivholzrest, 1 cm stark
* Rohholzhalbkugel, ø 2 cm
* 10 Schaschlikstäbchen
* Acrylfarbe in Gelb, Orange und Pink
* Bohrer in Schaschlikstäbchengröße
* Buntstift in Rot

VORLAGEN SEITE 136

1 In die ausgesägte und abgeschmirgelte Sonne seitlich Löcher für die Strahlen einbohren, das soll ein Erwachsener für dich tun, dabei die Stärke der Schaschlikstäbchen beachten.

2 Die Schaschlikstäbchen werden von einem Erwachsenen in unterschiedlicher Länge zugeschnitten und dann mit Holzleim in die Löcher eingeklebt. Jetzt darfst du alles gelb bemalen und die Sonne am Rand orange schattieren.

3 Klebe die pinkfarben bemalte Nase auf und gestalte den Mund und die Wangen mit Buntstift, die Augen mit wasserfestem Filz- und Lackmalstift. Auf die Nase einen Lichtpunkt mit dem Lackmalstift setzen.

Gestalte deine Zimmertür mit den wunderschönen Buchstaben: Schreibe mit ihnen deinen Namen!

Mein Tipp für dich

Massive Feuerwaffen

für Cowboys, Piraten und Ganoven

1 Die schwierige Stelle bei den Pistolen ist die Innenfläche am Abzug. Diese Innenfläche musst du schon aus der Schablone herausschneiden. Nun legst du die Schablone auf das Sperrholz und ziehst den Umriss und die Innenfläche am Abzug nach.

2 Bohre ein Loch in die Innenfläche, die ausgesägt werden soll. Jetzt löst du an der Laubsäge auf einer Seite das Sägeblättchen und steckst es durch das gebohrte Loch. Das Sägeblättchen wieder an der Säge befestigen und den Ausschnitt aussägen. Nun löst du das Sägeblättchen an einer Seite, ziehst es aus der ausgesägten Öffnung und befestigst es wieder an der Säge. Dann wird die Pistole vollständig ausgesägt.

3 Glätte Unebenheiten mit der Feile und schleife die Ränder mit Schleifpapier. Zum Schluss werden die Pistolen bemalt.

ab 8 Jahren

MATERIAL
* Pappelsperrholz, 6 mm stark, 22 cm x 10 cm
* Acrylfarben in Silber, Hell- und Dunkelbraun

VORLAGE SEITE 136

Die Pistolen kannst du auch noch mit deinem Namen oder einem gefährlich klingenden Fantasienamen, wie „Kapitän Enterhaken", beschriften.
Bei den gezeigten Pistolen handelt es sich übrigens um Vorderlader. Sie wurden, wie der Name schon sagt, von vorne geladen. In den Lauf wurde Schießpulver eingefüllt, dann die Bleikugel mit einem Ladestock in den Lauf geschoben. Hinten am Lauf wurde das Pulver durch ein kleines Loch entzündet.

Mein Tipp für dich

Si-Sa-Sommerski

tolle Gaudi

**mithilfe der Eltern
ab 4 Jahren**

MATERIAL

* 2 Leimholzbretter,
  2 cm stark, 9,5 cm
  breit, 1,25 m lang
* Gurtband in
  Regenbogenfar-
  ben, 2,5 cm breit,
  1,20 m lang
* 24 Schrauben,
  25 mm x 2 cm
* Feile

1   Hierbei soll dir ein Erwachsener helfen: Die Bretter an einer Seite spitz zusägen, dann kannst
du sie mit der Feile abrunden.

2   Das Gurtband in sechs je 20 cm lange Stücke schneiden. 24 cm, 60 cm und 98 cm von der Spitze
entfernt das Gurtband seitlich mit je zwei Schrauben befestigen. Hierzu das Band am Ende einschlagen, damit es sich nicht auflöst.

Tierisches Wurfspiel

wer zielt am besten?

mithilfe der Eltern ab 4 Jahren

1 Hierbei soll dir ein Erwachsener helfen: Aus dem Sperrholz vier Scheiben (ø 16 cm) aussägen, schleifen und bemalen. In die Rundholzstäbe für die Körper oben mittig je ein Loch (ø 1 cm, ca. 1 cm tief) für den Hals bohren. In die Kugeln für die Köpfe (ø 6 cm) je ein Loch für den Hals (ø 1 cm, 1 cm tief) und bei den Bienen je zwei schräg nach außen geneigte Löcher für die Fühler (ø 5 mm, 1 cm tief) bohren. Die Rundholzstäbe für die Hälse (ø 1 cm) in vier 4 cm lange Teile, für die Fühler (ø 5 mm) in sechs 3 cm lange Teile sägen.

2 Beim Bären die ausgesägten Ohren mit Holzleim anbringen. Fühler und Hälse in die Köpfe leimen und anschließend alles bemalen. Nach dem Trocknen die Hälse in die Körper kleben. Dann die Körper von der Unterseite mittig mit je zwei Schrauben auf die Bodenplatten schrauben.

3 Für die Ringe den Figurendraht bzw. das Seil in vier 55 cm lange Stücke schneiden, In die Kugeln (ø 3 cm) je ein Loch (ø 1 cm) durchgehend bohren, dann die Kugeln bemalen und trocknen lassen. Die Seile bzw. den Figurendraht zu einem Kreis biegen, die Enden mit Holzleim in die Kugeln kleben. Wer wirft seinen Ring um das „wertvollste" Tier?

MATERIAL

* Sperrholz, 1,2 cm stark, 38 cm x 38 cm
* 4 Rundholzstäbe, ø 4 cm, je 18 cm lang
* Rundholzstab, ø 1 cm, 16 cm lang
* Rundholzstab, ø 5 mm, 18 cm lang
* je 4 Rohholzkugeln, ungebohrt, ø 3 cm und 6 cm
* Figurendraht oder Seil in Natur, ø 1 cm, 2,20 m lang
* Spielzeugfarbe in Weiß, Schwarz, Hautfarbe, Rot, Gelb, Braun, Grün und Rosa
* 8 Schrauben, 0,3 cm x 4 cm
* Bohrer, ø 5 mm und 1 cm

VORLAGE SEITE 136

Lustiges Käfertrio

emsige Kabbeltiere

ab 6 Jahren

MATERIAL

✳ Haselaststücke, ø 1,8 cm, 3,5 cm lang, ø 2,2 cm, 4,5 cm lang und ø 1,2 cm, 5,5 cm lan

✳ 2 Rohholzperlen, ø 6 mm

✳ geglühter Blumendraht, ø 0,65 mm, 3 × 4 cm oder 3 × 9 cm lang (Beine) und 2 × 6 cm, 2 × 7,5 cm oder 2 × 10 cm lang (Fühler)

✳ Acrylfarbe in Schwarz und Weiß

✳ Bohrer, ø 1 mm

✳ Schnitzmesser

✳ Rundzange

1 Spalte zuerst vom Aststück der Länge nach ca. ein Drittel ab. Ein Ende zu einem etwa 1,5 cm langen Kopf mit dem Schnitzmesser abrunden, hinten nur den Rand abschneiden. Die Rinde evtl. mit einem Längsschnitt zu zwei Flügeln teilen. Die Augen aufmalen.

2 Für die Beine den Rumpf dreimal seitlich durchbohren, für die Fühler den Kopf zweimal anbohren. Die Drahtbeine durchstecken und die Enden mit der Rundzange zu Ösen biegen. Die beiden hinteren Beinpaare nach hinten, das vordere nach vorne biegen.

3 An den beiden Fühlerdrähten kannst du zuerst jeweils eine Holzperle andrahten, dann das andere Ende in den Kopf stecken.

Für deine neuen Haustiere kannst du aus einem Schuhkarton mit Blättern befüllt ein kuscheliges Zuhause basteln. Beobachte auch echte Insekten im Park, im Wald oder im Garten. Wo halten sie sich auf und wovon ernähren sie sich?

Mein Tipp für dich

Vorsicht, Piratenhöhle!

Zugang nur nach Aufforderung

ab 7 Jahren

MATERIAL
* ✳ Pappelsperrholz, 4 mm stark, 35 cm x 25 cm
* ✳ Acrylfarben in Schwarz und Weiß
* ✳ Zwirn in Schwarz
* ✳ Filzstift in Schwarz, dick und dünn

VORLAGEN SEITE 137

1 Aus der Totenkopfschablone werden die Augenhöhlen ausgeschnitten. Die Position der Bohrlöcher muss ebenfalls auf die Schablonen übertragen werden. Übertrage dann die Umrisse auf das Holz.

2 Jetzt hast du die Wahl zwischen einer einfachen und einer schwierigen Version: Die Augenhöhlen können entweder mit schwarzer Farbe aufgemalt oder aber ausgesägt werden. Wenn du dich für die zweite Variante entscheidest, bohrst du in jede Augenhöhle ein Loch. Dann löst du das Sägeblättchen auf einer Seite der Säge, steckst es durch das Bohrloch und befestigst es wieder. Jetzt kannst du die Augenhöhle aussägen. Anschließend löst du das Sägeblättchen wieder auf einer Seite, ziehst es aus der Augenhöhle und steckst es durch das Bohrloch der anderen Augenhöhle.

3 Säge auch die restlichen Teile aus, dann kannst du die Ränder mit Schleifpapier glätten. Die Löcher für den Zwirn markierst du, indem du die Schablone auflegst und mit der Vorstechnadel oder dem Körner ins Holz stichst. An dieser Stelle durchbohrst du die Holzteile. Denk daran, z. B. ein altes Brett unterzulegen.

4 Bemale die Holzteile. Wenn die Augenhöhlen nicht ausgesägt sind, werden sie mit schwarzer Farbe ausgemalt. Ist die Farbe trocken, kannst du den Totenkopf und die gekreuzten Knochen auf den Hut leimen. Beschrifte das Türschild und verbinde die drei Teile mit dem Zwirn miteinander.

Das Türschild kannst du mit UHU fix Klebekissen an der Tür befestigen.

Mein Tipp für dich

Meine Piratenhöhle

Draußen bleiben!

Häuschen im Garten

auch Igel wollen es schön haben

**mithilfe der Eltern
ab 6 Jahren**

MATERIAL

* Fichtenleimholz, 1,8 cm stark, 31 cm x 28 cm lang, 44 cm x 40 cm, 2 x 26 cm x 22 cm und 31 cm x 21 cm
* Buntlack in Weiß, Feuerrot, Safrangelb, Terrakotta, Nussbraun und Schwarz
* 16 Senkkopfschrauben, ø 3,5 mm, 35 mm lang
* Holzbohrer, ø 3 mm

VORLAGEN SEITE 137

1 Hierbei soll dir ein Erwachsener helfen: Das Vorderteil des Häuschens gemäß der Vorlage aussägen und die Löcher bohren. Zuerst die ausgesägten Seitenteile, das Dach und die Rückseite aneinanderschrauben, dann das Vorderteil anbringen. Glättet danach die Kanten mit Schleifpapier.

2 Weiß und Safrangelb mischen und bis auf das Dach alles bemalen. Die Innenseite des Häuschens bleibt unbemalt. Die Farbe gut trocknen lassen.

3 Das Fenster, die Fensterläden, die Schrift und die Igel abpausen. Bemale das Dach und die Fensterläden mit einer Mischung aus Safrangelb, Feuerrot und Nussbraun. Das Fenster mit verdünntem Nussbraun, den Fenster- und Türrahmen mit Terrakotta aufmalen und trocknen lassen.

4 Das Häuschen stellenweise mit einem fast trockenen Pinsel zunächst mit Terrakotta, dann mit Nussbraun schattieren. Das Dach wird mit einer Mischung aus Braun und Schwarz schattiert.

5 Die Schrift, die Igel und Teile der Konturen kannst du mit einer verdünnten Mischung aus Nussbraun und Schwarz aufmalen bzw. nachziehen. Filigrane Stellen sollte ein Erwachsener übernehmen.

Stelle die Igelvilla in den Garten, so hast du sicherlich bald einen Gast. Tipps zur Igelpflege bekommst du im Tierheim, beispielsweise, was Igel außer Katzenfutter noch so alles gerne fressen. Denke aber daran: Igel sind Wildtiere und sollten nicht in Gefangenschaft leben!

Mein Tipp für dich

Magnetisches Angelspiel

wer angelt die dicksten Fische?

**mithilfe der Eltern
ab 6 Jahren**

MATERIAL

* ❋ Sperrholz, 6 mm stark, 80 cm x 40 cm
* ❋ Sperrholz, 4 mm stark, 30 cm x 35 cm
* ❋ 2 Rundholzstäbe, ø 7 mm,
  je 50 cm lang
* ❋ 2 Rohholzkugeln, ungebohrt, ø 2,5 cm
* ❋ 2 Magnete, ø 1,5 cm
* ❋ 2 Baumwollschnüre in Schwarz,
  ø 2 mm, je 35 cm lang
* ❋ 11 Unterlegscheiben, ø 1 cm
* ❋ Spielzeugfarbe in Hellblau, Blau, Rot,
  Schwarz, Weiß, Türkis, Flieder, Orange, Apricot, Gelb und Grau
* ❋ Bohrer, ø 2 mm, 1 cm, 1,5 cm

VORLAGE SEITE 137

1 Das soll ein Erwachsener für dich tun: Die vier Seitenteile und die Bodenplatte (24,7 cm x 26 cm) für das Aquarium aus dem 6 mm starken Holz aussägen. Dann kannst du sie glatt schmirgeln. Gemeinsam die Seitenteile senkrecht auf die Bodenplatte leimen und trocknen lassen.

2 Ein Erwachsener sollte das Meeresgetier zum Angeln aus dem 4 mm starken Sperrholz aussägen und schleifen. Die Löcher (ø 1 cm, Tiefe entsprechend der Unterlegscheibe) bohren.

3 Jetzt darfst du alles bemalen, anschließend gut trocknen lassen. Dann die Scheiben mit Holzleim in die Bohrungen kleben.

4 In die Rundholzstäbe für die Angeln ca. 1 cm vom Ende entfernt ein durchgehendes Loch (ø 2 mm) bohren. Du darfst die Stäbe bemalen und trocknen lassen. Ziehe dann die Baumwollschnüre durch die Löcher und verknote sie.

5 In die Rohholzkugeln je ein Loch (ø 2 mm, 1 cm tief) bohren. Auf der gegenüberliegenden Seite für die Magnete ein Loch (ø 1,5 cm, Tiefe entsprechend der Magnete) bohren.

6 Du darfst die Kugeln bemalen, anschließend trocknen lassen. Klebe zum Schluss die Magnete und die Baumwollschnur mit Holzleim ein.

Kuller-Dschungel

rasante Rollbahn

mithilfe der Eltern ab 6 Jahren

MATERIAL

* Sperrholz, 1,2 cm stark, 75 cm x 40 cm
* Rechteckleiste, 3 cm x 2 cm, 2,30 m lang
* Vierkantleiste, 1,2 cm x 1,2 cm, 6,44 m lang
* Rundholzstab, ø 8 mm, 10,2 cm lang
* Spielzeugfarbe in Grün, Braun, Grau, Rosa, Gelb, Schwarz, Weiß und Rot
* 20 Schrauben, 0,35 cm x 2,5 cm
* 14 Schrauben, 0,25 cm x 2 cm
* 4 Schrauben, 0,35 cm x 4 cm
* Bohrer, ø 8 mm

VORLAGE SEITE 137

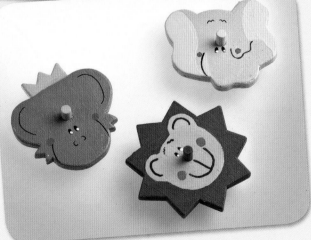

1 Lass dir von einem Erwachsenen dabei helfen: Die Blätter, Grundfläche und Kullertiere aus Sperrholz aussägen, die Löcher (ø 8 mm) durchgehend in die Figuren bohren und alles schleifen. Die Rechteckleiste für die braunen Halterungen in vier 57,5 cm lange Teile sägen und die Kanten glätten. Du darfst alle Teile bemalen, anschließend trocknen lassen. Den Rundholzstab in drei 3,4 cm lange Teile sägen, bemalen, trocknen lassen und mittig in die Bohrungen der Figuren leimen.

2 Die Vierkantleiste in acht 69 cm lange und zwei 46 cm lange Teile sägen. Jeweils eine Leiste mit Schrauben (0,35 cm x 2,5 cm) auf zwei Rechteckleisten im Abstand von 40 cm befestigen. Anschließend die passenden Vierkantleisten und die Rechteckleiste für die gegenüberliegende Seite darauf legen und mit Bleistift die Leisten auf der Vierkantleiste anzeichnen. Nun erhält man das gleiche Teil noch einmal spiegelverkehrt. Für die Abstände zwischen den Leisten an der Skizze auf Seite 137 orientieren. Dann gegengleich die nächsten Leisten anbringen.

3 Die Rechteckleisten gemäß Vorlage auf die Grundplatte leimen. Von der Unterseite mit vier Schrauben (0,35 cm x 4 cm) befestigen. Die Blätter gemäß Abbildung mit je zwei Schrauben (0,25 cm x 2 cm) so befestigen, dass die Tiere nicht herausfallen.

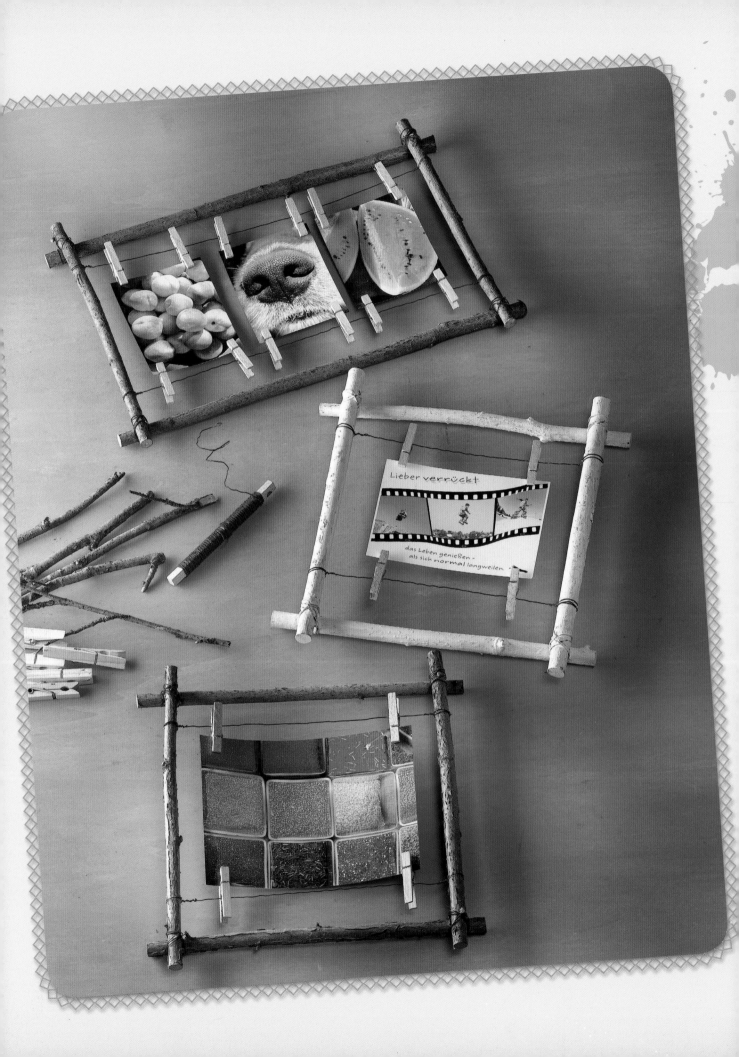

Mein Bilderrahmen

selbstgemacht!

1 Bohre mit dem Handbohrer in die Astenden 2,5 cm vom Rand entfernt je ein Loch ein, oder frage einen Erwachsenen ob er für dich die Löcher mit einer elektrischen Maschine bohrt. Die Bohrungen müssen in der Astmitte sein und auf einer Linie liegen.

2 Stecke die Dübel in die vorgebohrten Löcher und setze die vier Äste zu einem Quadrat zusammen.

3 Umwickle die Kreuzungspunkte der Äste mit Bindedraht.

4 Bohre rechts und links in die senkrechten Äste Löcher ein – 6 cm von oben und 6 cm von unten entfernt. Befestige die Spanndrähte auf einer Seite in den Löchern und fädle jeweils zwei Wäscheklammern an den Klammerfedern auf. Spanne die Drähte auf der anderen Seite und befestige sie in den Bohrlöchern.

MATERIAL
* 4 Äste, ca. 28 cm lang
* Wäscheklammern, 4,5 cm lang
* Bindedraht
* Holzdübel, ø 4 mm
* Lineal
* Bohrer, ø 4 mm

Du kannst auch einen Rahmen für mehrere Bilder machen. Nimm dazu einfach zwei 28 cm lange und zwei 40 cm lange Äste und baue sie wie oben beschrieben zusammen. Freunde oder Familie würden sich bestimmt über ein so originelles Geschenk mit Schnappschüssen von dir freuen.

Mein Tipp für dich

Für den Kaufladen
reiche Leckereien-Auswahl

**mithilfe der Eltern
ab 5 Jahren**

MATERIAL

ZITRONE, BANANE, BIRNE, KÄSE, FISCH, PAPRIKA, KAROTTE UND WURST
* Sperrholzrest, 1,2 cm stark
* Spielzeugfarbe in Gelb, Braun, Grün, Hellgelb, Hellblau, Rot, Schwarz, Orange, Weiß und Rotbraun
* Baumwollkordel in Schwarz, ø 2 mm, 20 cm lang (Wurst)

EI
* Rohholzei, ungebohrt, 6 cm x 4 cm
* Spielzeugfarbe in Weiß

APFEL
* Rohholzkugel, ungebohrt, ø 4,5 cm
* Rundholzstab, ø 8 mm, 2,5 cm lang
* Spielzeugfarbe in Rot und Hellgrün
* Filzrest in Grün
* Bohrer, ø 8 mm

PFLAUME
* Rohholzei, ungebohrt, 4,5 cm x 3 cm
* Rundholzstab, ø 6 mm, 2,5 cm lang
* Spielzeugfarbe in Dunkelblau und Hellgrün
* Filzrest in Hellgrün
* Bohrer, ø 6 mm

LOLLI
* Sperrholzrest, 1,2 cm stark
* Rundholzstab, ø 6 mm, 7,5 cm lang
* Spielzeugfarbe in Rosa, Blau, Rot, Gelb und Weiß
* Bohrer, ø 6 mm

PILZ
* Rohholzhalbkugel, ungebohrt, ø 3 cm
* Rundholzstab, 8 mm, 2,5 cm lang
* Spielzeugfarbe in Beige und Weiß
* Bohrer, ø 8 mm

KIRSCHEN
* 2 Rohholzkugeln, gebohrt, ø 2,5 cm
* Kordel in Grün, 25 cm lang
* Spielzeugfarbe in Rot

WEINTRAUBEN
* 9 Rohholzkugeln, gebohrt, ø 2 cm
* Spielzeugfarbe in Hellgrün
* Baumwollkordel in Weiß, ø 1 mm, 40 cm lang
* Filzrest in Hellgrün

JOHANNISBEEREN
* 11 Rohholzkugeln, gebohrt, ø 1,5 cm
* Spielzeugfarbe in Rot
* Baumwollkordel in Weiß, 40 cm lang
* Filzrest in Hellgrün

VORLAGE SEITE 134

Zitrone, Banane, Birne, Käse, Fisch, Paprika, Karotte und Wurst

Ein Erwachsener soll die Teile gemäß Vorlage aussägen und die Kanten schleifen. Du darfst sie anschließend, so wie auf dem Foto bemalen und trocknen lassen. Die schwarze Kordel an die Wurst binden.

Ei

Das Ei weiß bemalen und trocknen lassen.

Apfel

In die Holzkugel ein Loch bohren (ø 8 mm, 5 mm tief). Kugel und Rundholzstab bemalen, nach dem Trocknen den Rundholzstab in die Bohrung leimen. Das Blatt aus Filz gemäß Vorlage ausschneiden und mit Holzleim an den Stiel kleben.

Pflaume

Oben in das Holzei ein Loch (ø 6 mm, 5 mm tief) bohren. Ei und Rundholzstab bemalen, trocknen lassen, dann den Rundholzstab in die Bohrung leimen. Das Blatt gemäß Vorlage ausschneiden und mit Holzleim an den Stiel kleben.

Lolli

Den Lolli gemäß Vorlage aussägen und schleifen. Das Loch (ø 6 mm, 5 mm tief) bohren, dann alles bemalen und nach dem Trocknen den Rundholzstab in das Loch leimen.

Pilz

In die Halbkugel unten mittig ein Loch (ø 8 mm, 5 mm tief) bohren. Die Teile bemalen, trocknen lassen und dann den Rundholzstab in die Bohrung leimen.

Kirschen

Die Holzkugeln anmalen und trocknen lassen. Auf die Kordel fädeln und deren Enden gut verknoten.

Weintrauben und Johannisbeeren

Die Rohholzkugeln bemalen und trocknen lassen. Je drei Kugeln auf die Kordel fädeln und diese darüber doppelt verknoten. Zwei weitere Kugeln auffädeln und die Kordel verknoten. So weiterarbeiten, bis alle Kugeln aufgefädelt sind. Dann das aus Filz ausgeschnittene Blatt mit einer kleinen Schere durchstechen, aufziehen und die Enden der Kordel gut verknoten.

Textil

Stoff ist ein tolles Material, mit dem du erstaunliche Dinge zaubern kannst. Mann kann ihn nicht nur zusammennähen, sondern auch verfilzen, färben und bekleben, dabei entstehen Taschen, Fingerpüppchen, niedliche Stoffbildchen und vieles mehr!

Süßer Babyelefant

klein und tollpatschig

ab 7 Jahren

MATERIAL

✳ Keilrahmen, 30 x 24 cm

✳ Baumwollstoff in zart Rosa-Weiß gestreift, 40 x 35 cm

✳ Feincordstoff in Blau mit Blümchen

✳ Stoffreste in Orange und Bunt

✳ Schleifenband, ca. 35 cm lang

✳ Miniholzklammern

✳ Vliesofix®

✳ Reisnägel

✳ 3 kleine Holzwäscheklammern

VORLAGE SEITE 138

1 Zunächst den Hintergrundstoff knitterfrei glatt bügeln. Mit den Schablonen Elefant und Vögelchen, aus den bunten Stoffresten fünf Kreise (ø 3,5 cm), das Elefantenohr (ø 9,5 cm) und zwei schmale Streifen als Beinchen für das Vögelchen gestalten. Schneide für das Elefantenohr an der rechten Seite einen ca. 2 cm breiten Streifen ab. Alle Motivteile werden außerdem aus Vliesofix® ausgeschnitten.

2 Den Keilrahmen unter den Hintergrundstoff legen und von Elefant und Vögelchen samt Beinchen die Schutzfolie abziehen. Bringe alle bügelfertigen Teile auf den Hintergrundstoff entsprechend der Vorlage in Position (Die Vogelbeinchen stecken unter dem Elefant und das Vögelchen wird auf die Beinchen gebügelt). Am unteren Bildrand einen ca. 2 cm breiten Rand lassen, um später das Band anzubringen.

3 Nach dem Auflegen der Einzelteile den Keilrahmen wieder entfernen und die Einzelteile zunächst auf den Stoff aufbügeln. Die Kreise vertikal versetzt auslegen, das Ohr positionieren und aufbügeln. Den Keilrahmen unter das fertige Stoffbild legen und das Motiv nochmals ausrichten. Danach drehst du das Ganze um und befestigst den Stoff mit Reisnägeln an der Rahmenrückseite.

4 Das Gummiband mit kleinen Holzklammern anbringen und darauf achten, dass die Elefantenfüße mit dem Band abschließen.

Kaninchens Spaziergang

getupft und kariert

ab 7 Jahren

1 Zuerst bügelst du den Hintergrundstoff glatt. Für das Kleid die unterschiedlich rosafarbenen Stoffreste auf jeweils 10 x 13 cm zuschneiden und mit Vliesofix® verbinden. Nun auf die Rückseite des neu entstandenen Stoffstücks ein entsprechend großes Stück Vliesofix® aufbügeln.

2 Das Kleid mit der Schablone auf die Schutzfolie übertragen und ausschneiden. Entsprechend der Hasenschablone samt Beine ein Stück Stoff zuschneiden, mit Vliesofix® versehen, die Hasenteile übertragen und ausschneiden. Aus den Resten einen Arm schneiden.

3 Für das kleine Vögelchen versiehst du eine kleine Stoffrückseite mit Vliesofix®. Anschließend überträgst du die Vorlage und schneidest das Motiv aus. Die Beine am besten aus kontrastfarbenem Stoff anfertigen.

4 Aus weißen und schwarzen Stoffresten und der Lochschablone die Augen herstellen. Für den Hasen größere Kreise anfertigen, für den Vogel etwas kleinere. Die Pupillen können auch aus Papier aufgeklebt werden. Anschließend bügelst du die Augen auf Hasen- und Vogelkopf auf.

5 Nun bei allen Einzelteilen – Kopf, zwei Füße, Arm, Kleid, Vögelchen und seinen beiden Beinchen – die Schutzfolie abziehen. Danach den Keilrahmen unter den Hintergrundstoff legen, darauf die bügelfertigen Körperteile auslegen und am Format ausrichten. Am unteren Bildrand sollte ein ca. 2-3 cm breiter Rand bleiben, um später das Band anzubringen.

6 Nach dem Positionieren der Einzelteile vorsichtig den Keilrahmen entfernen. Die Einzelteile werden überdeckend aufgebügelt! Zuerst Kopf und Füße gleichzeitig aufbügeln. Vorsichtig andrücken, damit nichts verrutscht. Dann das Kleid nochmals ausrichten und aufbügeln, dabei werden die Füße und der Hals leicht überdeckt. Den Arm auf das Kleid bügeln.

7 Danach den Vogel platzieren und aufbügeln. Das fertige Bild schön glatt bügeln. Lege den Keilrahmen unter das Stoffbild und richte das Motiv nochmals aus. Das Ganze umdrehen und den Stoff mit Reiszwecken befestigen. An das Band kleine Holzklammern anbringen und darauf achten, dass der untere Fuß mit dem Band abschließt.

MATERIAL
* Keilrahmen, 30 x 24 cm
* Nesselleinen in Weiß, ca. 40 x 35 cm
* geblümter Feincordstoff, A4
* verschiedene gestreifte oder karierte Stoffreste in Rosa oder Blau
* Schleifband, 40 cm lang
* Vliesofix®
* Reisnägel
* 3 kleine Holzwäscheklammern

VORLAGE SEITE 138

Lustige Filztaschen
selber genäht

ab 5 Jahren

MATERIAL
* Bastelfilz
* Sticknadel und Stickgarn
* Satinkordeln, ø 3 mm
* Knöpfe
* Nähnadel und Nähgarn
* Textilkleber oder Holzleim

VORLAGE SEITE 138

1 Die Taschen werden alle gleich gemacht: Alle benötigten Motivteile ausschneiden. Dann die Vorderseite gestalten, bevor du die Tasche zusammennähst und die Tragekordel anbringst. Zum Zusammennähen die Teile deckungsgleich aufeinanderlegen und mit Stecknadel zusammenheften, damit nichts verrutscht.

2 Beim Pferd klebst du die Ohren leicht gerafft hinter den Kopf, nähst die Augen fest, klebst das weiße Maulteil mit Textilkleber oder Holzleim auf und setzt es mit Vorstichen ab, bevor du den Kopf auf die Taschenfront klebst und die Haare aufstickst. Alle Stiche werden dir auf Seite 8 ausführlich erklärt.

3 Den Mund der Katze stickst du im Stielstich. Dann die Filznase mit Holzleim aufkleben und die Wangen und Ohren mit Buntstiftabrieb pinkfarben färben. Beim Zusammenheften von Vorder- und Rückseite fasse auch die Ohren, leicht gerafft, mit ein. Diese Tasche wird im Vorstich zusammengenäht.

4 Bei der Tasche mit Blümchen nähst du zuerst die Knöpfe als Blütenmitte auf. Dann klebst du die Blume mit Holzleim auf die Vorderseite und nähst die Tasche mit Schlingstichen zusammen.

5 Mit dem Vorstich (Heftstich) lassen sich Motivteile verbinden. Er ist der einfachste Stich. Mache einen Knoten in das Fadenende, stich mit der Nadel durch den Filz nach unten und im gleichen Abstand wieder nach oben.

6 Die Randeinfassung stickst du im Schlingstich. Er wird immer von innen nach außen gestickt. Die Schlinge entsteht, indem du die Nadel beim Anziehen des Fadens über das Stickgarn legst.

7 Haare und Mund machst du mit dem Stielstich. Am einfachsten stickst du sie bereits vor dem Zusammennähen der Tasche auf, dann nähst du nicht versehentlich die Rückseite mit fest.

8 Zuletzt klebst du die Tragekordel in die Tasche und sicherst sie mit ein paar Stichen mit Nadel und Nähgarn.

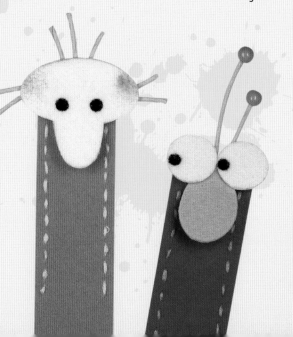

Die witzigen Lesezeichen sind aus Formfilz, die Verzierungen werden nur aufgeklebt. Für Haare und Fühler/Antennen brauchst du Papierkordeldraht (ø 2 mm) und Holzperlen (ø 6 mm).

Mein Tipp für dich

Kecke Fingerpüppchen

vier freche Freunde

ab 6 Jahren

MATERIAL

❋ Merinowolle im Kammzug, ca. 6 g

❋ sehr dünne Strähne Merinowolle im Kammzug, ca. 40 cm lang

❋ etwas Merinowolle im Kammzug in Weiß

❋ wasserfester Filzstift in Schwarz

❋ Noppenfolie für Schablone, 5 cm x 13 cm

❋ Frischhaltefolie

❋ Rocailles in Rot oder Grün, ø 2,4 mm

❋ Nadel und Nähgarn in verschiedenen Farben

VORLAGE SEITE 137

1 Damit die Püppchen auf den Finger gesteckt werden können, trennt eine Schablone aus Noppenfolie die Filzschichten. Die Schablone auf der Antirutschmatte mit der geraden Seite zum Körper hin ausrichten.

2 Du legst den Halbkreis mit Wolle aus, sodass die gezupften Wollfasern an den Seiten leicht über den Schablonenrand hinaus ragen und am unteren Rand bündig liegen.

3 Eine zweite Lage kreuzweise zur ersten auslegen und die Filzwolle mit Seifenlauge durchfeuchten.

4 Lege ein Stück Folie auf und befeuchte es mit Seifenwasser, damit deine Finger besser über die Folie gleiten können. Durch sanfte, kreisende Bewegungen auf der Folie wird die Wolle angefilzt. Die überstehende Wolle aussparen, sie wird nicht gefilzt.

5 Das Arbeitsstück inklusive der Schablone wenden. Die oben aufliegende Schablone gegebenenfalls zurechtrücken, sodass sie am unteren Rand übersteht. An den übrigen Seiten die Wolle fest um den Schablonenrand legen. Entstandene Falten streichst du mit den Fingern glatt. Ist die Schablone nicht gleichmäßig mit der umgeschlagenen Wolle bedeckt, musst du noch Wolle nachlegen.

6 Jetzt solltest du die Wolle wieder nass machen, die Folie wieder auflegen und diese Seite ebenfalls anfilzen. Dafür von außen nach innen reiben. Können keine einzelnen Wollfasern mehr aus dem Arbeitsstück herausgezogen werden, ist die Wolle angefilzt.

7 Die Schablone entfernen. Einen Finger in die Filzarbeit stecken und mit der anderen Hand kreisend den Schablonenabdruck aus dem Püppchen reiben.

8 Nun wickelst du das Werkstück in ein Handtuch und rollst es zum Walken etwa zwei Minuten vor und zurück. Dann kannst du es wieder auspacken, die Form zurechtzupfen, über dem Finger in Form bringen, eventuell noch einmal nass machen und von einer anderen Seite einrollen und weiter walken. Das wiederholst du so oft, bis die gewünschte Größe erreicht ist – die Wolle schrumpft immer in Walkrichtung! So kannst du auf Länge und Breite des Püppchens Einfluß nehmen. Dann den unteren Rand umschlagen.

9 Jetzt sind die Haare dran: Du filzt eine dünne Schnur, indem du einen dünnen Wollstrang zum Vorformen auf einer trockenen Unterlage oder dem Oberschenkel hin und her rollst, sodass die Luft herausgedrückt wird. Dann gibst du etwas warme Seifenlauge auf die Antirutschmatte (nicht direkt auf die Wolle geben, sonst wird die Schnur wieder platt). Die vorgeformte Schnur darin mit wenig Druck hin und her bewegen, bis sie vollkommen nass ist. Dann kannst du den Druck stetig erhöhen, aber nur soviel, dass die Form der Schnur erhalten bleibt. Die Schnur ganz fest filzen.

10 Nun 4 cm lange Stücke abschneiden und noch kurz weiter filzen, dadurch werden die Schnittkanten geglättet.

11 Für die Augen aus der weißen Wolle zwei kleine Kugeln formen und mit Seifenwasser in der Handfläche filzen. Ausspülen und trocknen lassen.

12 Mit einem wasserfesten Stift kannst du auf jedes Auge eine schwarze Pupille malen.

13 Dann nähst du die Augen, für die Nase eine Rocaille, und die Haare (mittig geknickt) an dein Püppchen. Zum Schluss kannst du noch einen lachenden Mund aus rotem Nähgarn im Steppstich aufsticken.

Sanftes Riesenkrokodil

wer lauert denn da?

ab 7 Jahren

1 Als erstes bügelst du den Hintergrundstoff glatt. Mit den Schablonen das Krokodil und die Vögelchen als Stoffmotive gestalten. Mit der Lochschablone ca. 14 kleinere und größere Kreise aus den blau-grün gemusterten Stoffresten herstellen, die Schutzfolie abziehen und sie über das Krokodil verteilt aufbügeln.

2 Schmale Streifen für die Vogelbeinchen schneiden. Danach mit der Lochschablone die Augenkreise herstellen und schon jetzt auf Krokodil und die beiden Vögelchen aufbügeln. Aus weißen Stoffresten werden anschließend drei Zacken für die Zähne aufgebügelt.

3 Den Keilrahmen unter den Hintergrundstoff legen. Alle bügelfertigen Teile auf den Hintergrundstoff entsprechend der Vorlage in Position bringen und am Format ausrichten. Am unteren Bildrand einen ca. 4 cm breiten Rand lassen, um später das Band anzubringen.

4 Nach dem Positionieren der Einzelteile den Keilrahmen wieder entfernen. Die Einzelteile aufbügeln. Achte darauf, dass die Beinchen der Vögelchen hinter dem Krokodil verschwinden. Das fertige Stoffbild nochmals überbügeln.

5 Den Keilrahmen unter das fertige Stoffbild legen und das Motiv nochmals ausrichten. Das Ganze umdrehen und den Stoff auf der Rückseite mithilfe der Reißnägel befestigen. Das Schleifenband mit kleinen Holzklammern anbringen, darauf achten, dass die Füße vom Krokodil mit dem Band abschließen.

MATERIAL

* Keilrahmen, 60 x 30 cm
* Pünktchenstoff in Grün oder Hellblau, ca. 70 x 40 cm
* fester Baumwoll- oder Cordstoff in Blaugrün gemustert, ca. 60 x 23 cm
* verschiedene grün-blau gemusterte Stoffreste
* Schleifenband, ca. 65 cm lang
* 3 kleine Holzwäscheklammern
* Vliesofix®
* Lochschablone für Kreise
* Reißnägel

VORLAGE SEITE 138

Weiche Wurfbälle

erstes Filzen

ab 3 Jahren

MATERIAL

❋ 2 Styropor®-Kugeln, ø 3 cm, ø 4 cm und ø 5 cm

❋ Mega-Filzer

❋ Filzwollreste in beliebigen Farben, ca. 30 g

❋ Schwammtuch, 18 cm x 20 cm

❋ wasserfeste Arbeitsunterlage (z. B. Backblech)

1 Mische den Mega-Filzer nach Herstellerangaben mit Wasser und bereite eine wasserdichte Arbeitsunterlage vor.

2 Lege das Schwammtuch vor dich auf die Unterlage und gieße so viel Filzflüssigkeit auf das Schwammtuch, wie dieses aufsaugen kann.

3 Nimm dann ein bisschen Filzwolle in beide (trockenen) Hände und ziehe sie wie ein Spinnennetz auseinander. Diese Wolle legst du dann auf das Schwammtuch.

4 Jetzt legst du einen Styropor®-Ball auf die Filzwolle und rollst diesen mit der flachen Hand über das Schwammtuch. Dabei legt sich die Filzwolle über den Ball und verfilzt durch das Rollen.

5 Das kann mit verschiedenen Farben beliebig oft wiederholt werden.

6 Die fertigen Filzbälle über Nacht auf der Heizung trocknen lassen.

Zipfeleierwärmer
Wichtelmützen fürs Frühstücksei

ab 8 Jahren

Zipfeleierwärmer

1 Übertrage die Vorlagenzeichnung und schneide dir eine Schablone aus Noppenfolie zu. Richte die Schablone auf der Antirutschmatte mit der geraden Seite zum Körper hin aus.

2 Lege sie mit Wolle aus, sodass die gezupften Wollfasern an den Seiten leicht über den Schablonenrand hinausragen und am unteren Rand bündig liegen. Eine zweite Lage kreuzweise zur ersten auslegen und die Filzwolle mit Seifenlauge durchfeuchten.

3 Lege ein Stück Folie auf und besprühe es mit Seifenwasser, damit deine Finger besser über die Folie gleiten können. Durch sanfte, kreisende Bewegungen auf der Folie wird die Wolle angefilzt. Spare die überstehende Wolle aus, sie wird nicht gefilzt.

4 Wende das Arbeitsstück inklusive der Schablone. Die oben aufliegende Schablone gegebenenfalls zurechtrücken, sodass sie am unteren Rand übersteht. An den übrigen Seiten die Wolle fest um den Schablonenrand legen. Entstandene Falten streichst du mit den Fingern glatt. Ist die Schablone nicht gleichmäßig mit der umgeschlagenen Wolle bedeckt, musst du noch Wolle nachlegen.

5 Jetzt solltest du die Wolle wieder nass machen, die Folie erneut auflegen und diese Seite ebenfalls anfilzen. Dafür von außen nach innen reiben. Wenn keine einzelnen Wollfasern mehr aus dem Arbeitsstück herausgezogen werden können, ist die Wolle angefilzt. Vergiss nicht, zwischendurch immer wieder die Spitze wie eine Schnur zu rollen, um einen schönen Zipfel zu bekommen.

6 Entferne die Schablone wieder. Ein paar Finger in den Eierwärmer stecken und mit der anderen Hand kreisend den Schablonenabdruck aus dem Mützchen reiben.

7 Nun wickelst du das Zipfelmützchen in ein Handtuch und rollst es zum Walken etwa zwei Minuten vor und zurück. Dann kannst du es wieder auspacken, die Form zurechtzupfen, eventuell noch einmal nass machen und von einer anderen Seite einrollen und weiter walken. Dies wiederholst du so oft, bis die gewünschte Größe erreicht ist. Der Zipfel kann vor dem Trocknen noch gebogen werden.

MATERIAL ZIPFELEIERWÄRMER
* Merinowolle im Kammzug, in beliebiger Farbe, ca. 12 g je Eierwärmer

BLÜTENEIERWÄRMER
* Merinowolle im Kammzug in Orange, ca. 10 g je Eierwärmer

* Merinowolle im Kammzug in Grün, ca. 3 g je Eierwärmer
* Rest Merinowolle im Kammzug in Dunkelrot

FÜR BEIDE EIERWÄRMER
* Noppenfolie für Schablone, A4

VORLAGE SEITE 138

Blüteneierwärmer

1 Der Blüteneierwärmer wird ganz ähnlich gemacht: Erst legst du dünne dunkelrote Fasern auf die Schablone und dann zwei Lagen Merinowolle in Orange über Kreuz darauf.

2 Über den oberen Schablonenrand in Grün ein Dreieck legen, bei dem die ausgedünnten Fransen über den orangefarbenen Blütenkelch ragen, das ergibt den Stielansatz. Jetzt geht es weiter wie oben beschrieben (Schritt 2 bis 7).

3 Hast du die Schablone entfernt, reibst du den Knick glatt. Dann am unteren Rand ca. 2 cm hohe Zacken einschneiden. Walke nun dein Werk. Die Zacken nach jedem Walkvorgang zurechtzupfen und den Stielansatz immer wieder wie eine Schnur rollen. Vor dem Trocknen die Zacken nach außen drücken und aufgestellt trocknen lassen.

Kleine Pomponmonster
witzig und flauschig

ab 4 Jahren

MATERIAL
* ❋ feste Pappe
* ❋ Wolle
* ❋ Formfilz
* ❋ Plüschpompons
* ❋ Chenilledraht
* ❋ Stecknadeln mit Glaskopf
* ❋ Alles- oder Textilkleber

VORLAGE SEITE 138

1 Zum Wickeln der Pompons brauchst du zwei Pappscheiben mit einem Loch in der Mitte. Das Loch lässt sich leichter mit einer Nagelschere ausschneiden.

2 Lege die Scheiben aufeinander und umwickle sie mit Wollfaden. Einfacher geht es, wenn du vorher die Wolle zu einem kleinen Knäuel aufwickelst.

3 Du kannst den Ring auch mit zwei (oder mehreren) Farben umwickeln. Wickle die Wolle so lang herum, bis der Pompon die gewünschte Dicke hat.

4 Schiebe die Scherenspitze dann zwischen die beiden Pappringe und schneide die Wollfäden ringsherum auf.

5 Schiebe die Ringe vorsichtig auseinander und lege einen Wollfaden in den Spalt. Ziehe ihn fest an und knote ihn anschließend genauso fest.

6 Damit du einen hübsch runden Pompon erhältst, schneide nun überstehende Wollfäden ab.

7 Als Augen setzt du Plüschpompons oder ausgeschnittene Filzscheiben mit Glaskopf-Stecknadeln auf. Zum Biegen der Füße nimm die Vorlage zu Hilfe. Die Flügel und teilweise auch die Nasen sind aus Formfilz, den du vorher mit Filz- oder Buntstift bemalt hast.

8 Klebe nun alles zusammen. Dafür eignet sich Alleskleber gut. Du kannst die Figuren nach Belieben variieren, zum Beispiel Fühler aus Chenilledraht und Plüschpompons machen.

Drache Funki

mal gut und mal böse

ab 5 Jahren

MATERIAL FÜR BEIDE DRACHEN
* Socke in Grün-Weiß gestreift mit grüner Spitze, Größe 39–42
* Bastelfilz in Rot, 20 cm x 30 cm, und Rest in Grün
* Pappe

ZUSÄTZLICH GUTER DRACHE
* 2 Wackelaugen, ø 1 cm
* 2 Würfelperlen in Natur, ø 1,3 cm
* 2 Perlen in Gold, ø 4 mm

ZUSÄTZLICH BÖSER DRACHE
* Bastelfilz in Gelb, 20 cm x 30 cm
* 2 Perlen in Gelb, ø 1,5 cm
* 2 tropfenförmige Schmucksteine in Rot, 1,5 cm lang
* Schmucksteine in Grün, ø 8–12 mm
* 2 Wackelaugen, oval, 1 cm lang

VORLAGE SEITE 139

1 Zuerst das Pappmaul zuschneiden und vorn in die aufgeschnittene Socke kleben. Dann die Filzteile zuschneiden und das grüne Filzmaul und die Zunge einkleben. Damit die Drachen eine schöne Form haben, schlägst du anschließend die Ferse nach innen ein und nähst den Schlitz mit ein paar Stichen zu. Jetzt ist deine Socke von vorn bis hinten gerade.

2 Klebe nun die Filzteile für den Zackenkamm oben zusammen. Dann faltest du die geraden Kanten unten etwas auseinander und klebst sie am Rücken des Drachens fest. Nun verzierst du den bösen Drachen mit den bunten Filzteilen und den Schmucksteinen. Zum Schluss bekommen die Drachen Nasenlöcher und Augen, dafür eignen sich Schmucksteine, Holzperlen und Wackelaugen.

Perfekt gestylt
zur nächsten Hexenparty

mithilfe der Eltern ab 8 Jahren

MATERIAL ALLGEMEIN
* Stecknadeln
* Nähnadeln
* Nähgarn in Schwarz
* (Kinder-)Nähmaschine

HEXENHUT
* festes Vlies in Schwarz, 40 cm x 45 cm
* Pannesamt in Schwarz mit Spinnenaufdruck, 40 cm x 40 cm und 40 cm x 45 cm
* Filz in Schwarz, 40 cm x 40 cm
* Pannesamt in Lila, 10 cm x 60 cm
* Netzstoff in Schwarz, 5 cm x 1,20 cm, 10 cm x 1,40 cm

HEXENBESEN
* einige Zweige Birkenreisig, ca. 60 cm lang
* Austrieb vom Haselnussbusch, ø 2,5 cm, ca. 1,20 m lang
* Blumenbindedraht, 3 x 1 m lang
* 3 Folien-Jersey-Streifen in Giftgrün, 3,5 cm x 18 cm

* 3 Nägel
* Hammer
* Rebschere
* Taschenmesser

HANDSCHUHE
* Netzstoff in Schwarz, 2 x 30 cm x 20 cm
* Pannesamt in Schwarz mit Spinnenaufdruck, 2 x 20 cm x 3,5 cm

HEXENROCK
* Pannesamt in Lila, 2 x 75 cm x 75 cm
* Pannesamt in Schwarz mit Spinnenaufdruck 30 cm x 1,50 m, Folien-Jersey-Streifen in Giftgrün, 30 cm x 1,50 m, Netzstoff in Schwarz, 30 cm x 1,50 m
* Gummiband in Schwarz, 4 cm breit, 80 cm lang
* Nähgarn in Schwarz
* Stecknadeln
* Nähnadel
* Nähmaschine

VORLAGE SEITE 139

Hexenhut

1 Für die Hutspitze benötigst du eine Schablone. Vielleicht hast du noch eine alte Schultüte, bei der du Maß nehmen kannst. Falls nicht, nimm einen Kreis mit ø 80 cm als Schablone (Höhe der Hutspitze = 40 cm). Mithilfe der Schablone schneidest du die Hutspitze zuerst aus dem Vlies aus und klebst sie auf den Pannesamt. Danach schneidest du den überstehenden Pannesamt ab und klebst den Viertelkreis zur Tüte zusammen.

2 Für den Hutrand schneidest du jeweils einen Kreis mit ø 40 cm aus dem Filz und dem Pannesamt aus. In der Mitte jeweils einen Kreis mit ø 20 cm ausschneiden. Anschließend werden die beiden Kreise mit der Nähmaschine rechts auf rechts zusammengenäht und dann umgedreht oder der Pannesamt wird auf den Filz geklebt. Hutspitze und Hutrand sollten anschließend auf jeden Fall mit der Nähmaschine zusammengenäht werden. Dabei soll dir ein Erwachsener helfen. Zum Schluss kannst du den Hut noch mit den Netz- (10 cm breit, ca. 1,50 m lang) und Pannesamtstreifen (10 cm breit, 58 cm lang) dekorieren.

Hexenbesen

1 Für den Hexenbesen benötigst du etwa zwei Hände voll Birkenreisig, das du zunächst an den dickeren Enden mit einem Stück Draht fest umwickelst und die Enden zum Schluss miteinander verdrehst. Am leichtesten geht es, wenn du das Reisig auf die Mitte des Drahtes legst und von beiden Seiten her wickelst. Danach das Reisig oben und unten gleichmäßig abschneiden.

2 Den Haselnussstiel mit dem Taschenmesser auf einer Seite anspitzen, bevor du ihn etwa 20 cm weit zwischen das Birkenreisig schiebst. Danach die anderen beiden Drähte im Abstand von ca. 5 cm ebenfalls um das Reisig binden. Damit der Besenstiel besser hält, jeweils noch einen Nagel zwischen dem Bindedraht ins Holz klopfen. Zum Schluss umwickelst du die Stellen mit den Folien-Jersey-Streifen und klebst die Enden fest.

Handschuhe

Das machst du mit einem Erwachsenen zusammen: Zuerst den Spinnenstoff rechts auf rechts am Netzstoff festnähen. Anschließend den Netzstoff auf der gegenüberliegenden kurzen Seite zweimal hintereinander je 1 cm umschlagen und feststeppen. Anschließend den Handschuh rechts auf rechts zusammenlegen und beide Längsseiten zusammennähen. Dabei allerdings 2 cm von der Oberkante entfernt eine Öffnung für den Daumen lassen.

Hexenrock

1 Hierbei soll dir ein Erwachsener helfen: Bei beiden lilafarbenen Stoffteilen jeweils an einer Seite, auf der sich der Stoff nicht dehnt, 5 cm für den Bund (Tunnelzug für das Gummiband) umschlagen, mit Stecknadeln fixieren und mit der Nähmaschine festnähen.

2 Für die verschiedenfarbigen und gemusterten Streifen den Stoff halbieren und gegengleich Dreiecke aufzeichnen und ausschneiden. Diese Pannesamt- und Folienstreifen nun abwechselnd auf der Naht vom Bund rechts auf rechts zuerst feststecken, annähen und dann nach vorne klappen. Die Netzstreifen von Hand dazwischennähen.

3 Danach die beiden lilafarbenen Rockteile an den Seitennähten schließen, das Gummiband einziehen und je nach Umfang des Kindes zusammennähen.

Jolly Roger
lasst jeden erzittern

ab 5 Jahren

1 Übertrage die Vorlage für den Totenkopf auf weißen Filz, schneide alle Teile aus und klebe sie auf den schwarzen Stoff.

2 Jetzt noch den Holzstab an der linken Seite der Fahne mit Alleskleber fixieren und die Piratenfahne ist fertig.

Auf ins Gefecht!

bewaffnet und gefährlich

ab 4 Jahren

1 Übertrage den Totenkopf mit Schneiderkopierpapier auf das T-Shirt und male ihn mit weißer Stoffmalfarbe aus. Verwende für die Ränder einen feinen Pinsel. Du kannst die Farbe auch mehrmals übereinander auftragen, lass aber eine Farbschicht immer erst trocknen. Mit einem Föhn geht es schneller.

2 Wenn die weiße Farbe trocken ist, kannst du auf die weiße Schicht die Augenklappe übertragen und mit roter Stoffmalfarbe ausmalen.

MATERIAL
* T-Shirt in Schwarz, Größe des Kindes, hier 116
* Stoffmalfarbe in Weiß und Rot, für dunkle Stoffe
* mittlerer und feiner Haarpinsel
* Schneiderkopierpapier

VORLAGE SEITE 139

Freche Piratenbande

macht die Weltmeere unsicher

ab 8 Jahren

MATERIAL ALLGEMEIN
* Nähgarn in Schwarz oder Rot
* Schneiderkreide
* Stecknadeln
* große Stoffschere
* (Kinder-)Nähmaschine

PIRATENWESTE
* Filz in Rot oder Schwarz, 0,8 m x 1,5 m

ZUSÄTZLICH FÜR DIE SCHWARZE WESTE
* starke Metallfolie in Gold
* große Münzen

FÜR DIE ROTE WESTE
* 10 Ösen in Gold, ø 4 mm
* Satinband in Schwarz, 3 mm breit, ca. 1,5 m lang

PIRATENHOSEN
* Satinstoff in Rot-Weiß oder Schwarz-Weiß gestreift, 1 m x 1,5 m oder 0,8 m x 2 m

* Gummiband, ca. 1,5 cm stark, 1,50 cm breit, ca. 2 m lang

ZUSÄTZLICH FÜR DIE ROT GESTREIFTE HOSE
* Vlieseline®, 9 cm breit, ca. 1,20 m lang

GÜRTEL
* starke Goldfolie, ø 7 cm
* Tonpapierrest in Schwarz
* Filz in Schwarz, 4,5 cm breit, ca. 1,20 m lang
* Permanentmarker in Schwarz

PIRATENHUT
* Fotokarton in Schwarz, 50 cm x 70 cm
* Hutgummi
* spitze Schere oder dicke Nadel

VORLAGE SEITE 140

Piratenwesten

1 Die Schnittmusterteile auf Transparentpapier übertragen und ausschneiden.

2 Den Filz falten, das Rückenteil auf die Stoffbruchkante legen, mithilfe von Stecknadeln feststecken, mit Schneiderkreide ohne Nahtzugabe umfahren und ausschneiden. Das Vorderteil auflegen und zuschneiden.

3 Die Vorderteile rechts auf rechts auf das Rückteil legen, an den Schultern und an den Seiten feststecken, heften und zusammennähen. Die Nähte ausbügeln und die Weste auf die Vorderseite wenden.

4 Für die schwarze Weste brauchst du sechs „Münzknöpfe". Dafür die Münzen unter die Metallfolie legen und das Motiv mit der Kugelschreiberspitze, nicht mit der Mine, durchrubbeln. Dann die Münzen ausschneiden und an den entsprechenden Stellen aufkleben. Wenn du lieber wie bei der roten Weste Ösen möchtest, kannst du die Ösen an beiden Vorderteilen der Weste nach Vorschrift des Herstellers anbringen. Dann durch die Ösen ein schwarzes Satinbändchen fädeln und an den Enden verknoten.

Piratenhosen

1 Die Schnittmusterteile für das Vorder- und Rückenteil auf Transparentpapier übertragen und ausschneiden.

2 Den Stoff der Länge nach rechts auf rechts falten. Die Schnittmuster auflegen, dabei auf den Fadenlauf achten. Alle Teile mithilfe von Stecknadeln feststecken und mit einer entsprechenden Nahtzugabe ausschneiden. Die Nahtzugaben mit Zickzackstich versäubern.

3 Zunächst die vorderen und rückwärtigen Mittelnähte, dann die Seitennähte mit Stecknadeln feststecken, heften und feststeppen. Die Heftfäden anschließend herausziehen.

4 Den Hosenbund umschlagen und feststeppen. Dabei vorne ca. 1,5 cm offen lassen, durch die Öffnung das Gummiband mithilfe einer Sicherheitsnadel einziehen und die beiden Enden zusammennähen oder verknoten. An den Hosenbeinen der schwarz gestreiften Hose genauso wie beim Bund verfahren.

5 Nähte ausbügeln und die Hose auf die Vorderseite wenden.

6 Bei der rot gestreiften Hose Vlieseline® gemäß Schnittmuster zuschneiden und auf die Innenseite der Hosenbeinenden aufbügeln. Dann die Zacken ausschneiden.

Gürtel

1 Den Filzgürtel anprobieren und auf die entsprechende Länge zuschneiden.

2 Jetzt kannst du den Kreis der Gürtelschnalle mit einem Permanentmarker auf die Goldfolie übertragen und ausschneiden.

3 Übertrage den Totenkopf auf das Tonpapier, schneide Augen-, Nasen- und Mundhöhle aus und klebe den Totenkopf auf den Goldfolienkreis.

4 Die Pupillen und Zähne kannst du mit schwarzem Permanentmarker einzeichnen.

5 Klebe die Gürtelschnalle mit Alleskleber auf den Filzgürtel. Jetzt kannst du den Gürtel umlegen und hinten verknoten oder mit einer Sicherheitsnadel zusammenstecken.

Piratenhut

1 Übertrage den Piratenhut zweimal auf Fotokarton und schneide beide Teile aus.

2 Übertrage die Vorlage für die Knochen auf die vordere Seite des Hutes und male mit weißem Stift die Knochen aus.

3 Klebe beide Hutteile rechts und links an den Kanten zusammen, sodass sich eine Öffnung ergibt.

4 Jetzt mit einer spitzen Schere oder einer dicken Nadel unten am Hut rechts und links zwei Löcher einstechen, das Hutgummi durchziehen und an beiden Enden verknoten.

Unter der roten Weste sieht ein Hemd mit Spitzenbesatz besonders schick aus. Säbel, Schiff oder Totenkopf sehen als Verzierung auf dem Hut auch gefährlich gut aus.

Mein Tipp für dich

69

Bandenhauptquartier

Zutritt nur für Mitglieder

ab 4 Jahren

MATERIAL

* weißer Baumwollstoff (Tischdecke oder Bettbezug) 1,4 m x 0,8 m
* Textil- oder Batikfarben in Gelb, Grün und Blau
* Salz nach Produktangabe
* Gummihandschuhe
* 3 Eimer oder Edelstahlschüsseln
* 3 alte Kochlöffel zum Umrühren
* evtl. Wäscheklammern
* Paketschnur oder Baumwollgarn
* Haushaltsgummis
* Murmeln

1 Um schöne Farbverläufe zu bekommen, solltest du den Stoff nass machen und gut auswringen.

2 Nimm dann die vier Zipfel des Stoffstücks und binde jeden ca. 20 cm lang ab, indem du die Schnur in unterschiedlichen Abständen fest um jede Stoffecke wickelst.

3 In der Mitte des Stoffes entstehen kleine, gleichmäßige Kreise, wenn du Murmeln mit Gummibändern im Stoff befestigst.

4 Bevor der abgebundene Stoff ins Farbbad getaucht wird, stellst du die Farbbäder nach Packungsanleitung her und füllst die Mixtur in die drei dafür vorgesehenen Behälter.

5 Den Stoff gleichzeitig in die verschiedenen Farben tauchen, mit Wäscheklammern fixieren, mehrfach umrühren und nach der angegebenen Zeit auswaschen und die Schnüre vorsichtig auftrennen.

6 Nach dem Trocknen die Fahne bügeln, an zwei Zipfeln mit Schnur umwickeln und an einer Stange oder einem Baum befestigen.

Du kannst auch Baumwollstoff mit kleinen Flecken verwenden. Nach dem Batiken sind diese nicht mehr zu sehen.

Mein Tipp für dich

Naturmaterial

Das tolle an Naturmaterialien ist, dass du nicht erst in einen Laden gehen musst, um sie zu kaufen. Sei einfach beim nächsten Wandertag oder Spaziergang durch Feld und Wald aufmerksam, dann findest du, je nach Jahreszeit, unterschiedlichste Schätze, wie Beeren, Blätter und Kastanien, mit denen du dann zu Hause oder im Freien richtig kreativ werden kannst.

Blatt auf Blatt
dein Blätterdruck-Mobile

ab 3 Jahren

1 Schneide verschieden große Kreise aus den Fotokartonresten. Nehme Teller und Untertassen als Kreisschablonen zu Hilfe.

2 Mit dem Pinsel streichst du etwas Farbe auf die Oberfläche des Blattes, lege vorsichtig das Blatt auf den Fotokarton und ein Küchenkrepp darauf.

3 Jetzt drückst du mit der flachen Hand vorsichtig an verschiedenen Stellen auf das Küchenkrepp und das darunterliegende Blatt. Dann nimmst du das Küchenkrepp ab und ziehst behutsam das Blatt vom Kartonkreis.

4 Wiederhole den Vorgang mit verschiedenen Blättern und Farben.

5 Lass die bedruckten Kreise trocknen. Dann können die Rückseiten gestaltet werden.

6 Nach dem Trocknen verbindest du die Kreise mit einer dünnen Nylonschnur und einer Nadel und bringst auch am obersten Kreis einen Nylonfaden zum Aufhängen an.

7 Suche dir einen schönen Platz aus, an dem du dein Mobile aufhängen möchtest – schön sind Fenster und Glastüren.

Kastanientiere

lustige Gesellen

1 Gestalte zuerst die Gesichter der Figuren. Auf die Klebepunkte mit Filzstift schwarze Punkte als Pupillen malen und die Punkte an den Kastanien anbringen. Die Münder mit einem angefeuchteten roten oder schwarzen Aquarellfarbstift aufmalen und als Nasen und Ohren die Beeren befestigen. Als Haare getrocknetes Moos, getrocknete Blüten oder etwas Bast, mittig gebunden, auf die Köpfe kleben.

2 Für die Kastanienmännchen die Flaschenkorken mit Acrylfarbe wie abgebildet bemalen, trocknen lassen und darauf die Kastanien mit viel Klebstoff befestigen. Bringe die bemalte Walnussschalenhälfte als Helm ebenfalls an.

3 Die Arme aus gebogenen Chenilledrahtstücken ankleben und dem einen Männchen das rote Satinbändchen um den Hals binden. In der Hand des anderen Männchens eine Schaufel, aus einem Walnuss- und Zweigstückchen zusammengeklebt, befestigen.

4 Für die Schildkröte kannst du eine große Kastanie mit Acrylfarbe wie abgebildet bemalen und trocknen lassen. Anschließend den Kopf und den Körper mit einem Stück Zahnstocher verbinden. Aus Chenilledrahtstücken die Arme, Beine und den Schwanz biegen und den Körper daraufkleben.

5 Die Maus bekommt als Ohren die Kürbiskerne eingesteckt. Dafür an den Kürbiskernen die Spitzen abschneiden und die Kerne mit Stecknadeln am Kopf der Maus befestigen. Als Schwanz kannst du die Paketschnur von hinten ankleben.

6 Für die Spinne den Chenilledraht in vier gleiche Stücke schneiden. Dann die Drahtstücke sternförmig aufeinanderlegen, in der Mitte mit einem Wollrest zusammenbinden und wie abgebildet zu Beinen zurechtbiegen. In die Mitte die Kastanie aufkleben.

7 Die Pilze kannst du ganz einfach basteln: Eine Kastanie auf einen Weinkorken kleben – fertig!

MATERIAL

* Kastanien in verschiedenen Größen
* Weinkorken
* Walnussschalenhälfte
* Naturbast, ca. 20 cm lang
* getrocknete Blüte
* rote Beeren
* Kürbiskerne
* Paketschnur, ø 2 mm, ca. 10 cm lang
* Chenilledraht in Gelb, 50 cm lang und Schwarz, 50 cm lang

* Satinbändchen in Rot, 1,5 cm breit, ca. 15 cm lang
* Klebepunkte in Weiß, ø 8 mm
* Acrylfarbe in verschiedenen Farben
* dünner Permanentmarker in Schwarz
* Aquarellfarbstifte in Rot und Weiß
* Zahnstocher
* Stecknadeln mit kleinem Metallkopf
* Alleskleber

Schneckenrennen

rasante Lilli

ab 7 Jahren

MATERIAL

* Speckstein
* Bleistift
* Raspel oder Feile
* Konturenmesser
* Schleifschwamm (60, 150 und 220)
* Nassschleifpapier (400, 600, 800 und 1000)
* Wasserschale
* farblose Schuhcreme
* Tuch zum Polieren

VORLAGE SEITE 140

1 Arbeite auf einem Arbeitstisch, den du mit einem feuchten Tuch abdeckst. Hilfreich sind außerdem eine Schürze und vielleicht sogar ein Mundschutz, denn Speckstein staubt sehr! Suche einen Speckstein aus, der gut in deine Hand passt. Zeichne mit dem Bleistift den Umriss einer Schnecke mit ihrem spiralförmigen Haus auf den Stein oder verwende die Vorlage.

2 Fange an, den Stein mit einer groben Raspel zu bearbeiten. Raspele bis zu deiner aufgemalten Kontur alles weg. Pass auf, dass du dich beim Arbeiten nicht verletzt! Achte besonders auf deinen Daumen. Er sollte beim Raspeln, Feilen und Schnitzen auf der Rückseite des Steins verschwinden.

3 Nun kommt die Spirale auf dem Schneckenhaus an die Reihe. Nimm eine kleine Bildhauerraspel und fahre damit vorsichtig immer wieder an deiner aufgemalten Linie entlang.

4 Als Nächstes kannst du deine Schnecke mit einer Feile abrunden.

5 Hat alles die gewünschte Form, wird die Schnecke mit Schleifschwamm, Schleifpapier und Wasser bearbeitet: Tauche deinen Stein in Wasser und bearbeite ihn dann mit dem Schleifschwamm. Sind keine Kratzspuren mehr zu erkennen, kannst du auf Schleifpapier übergehen. Je größer die Nummer auf deinem Schleifpapier ist, umso feiner ist dessen Körnung und umso glatter auch dein Schleifergebnis. Den Schlamm bitte nicht im Abfluss sondern im Mülleimer entsorgen!

6 Lass deine Schnecke trocknen. Zu guter Letzt wird deine Schnecke mit farbloser Schuhcreme eingerieben und dann mit einem weichen Tuch poliert.

Achte darauf, dass das Haus wirklich groß genug für deine Schnecke ist. Es sollte deutlich breiter sein als der Schneckenfuß.
Pass auf, dass du dich beim Arbeiten nicht verletzt. Achte besonders auf deinen Daumen. Er sollte auf der Rückseite des Steins verschwinden.

Mein Tipp für dich

Hier sitze ich!

Apfel- und Kartoffeldruck

ab 4 Jahren

MATERIAL

KARTOFFELDRUCK
* Fotokarton in Rosa und Hellblau, A4
* mittelgroße rohe Kartoffel
* Acrylfarbe in Orange, Dunkelrot und Pink bzw. Hellblau, Blaugrün und Mittelblau
* Ausstechform: Herz oder Stern, ca. ø 4,5 cm
* Klebefolie in Transparent
* Küchenmesser

APFELDRUCK
* Fotokarton in Gelb, A4
* Äpfel in verschiedenen Größen
* Acrylfarbe in Rot, Hellgrün und Dunkelgrün
* Buntstift in Braun
* Küchenmesser

1 Halbiere die Kartoffel und drücke die Ausstechform so tief wie möglich in die Schnittfläche. Mit dem Messer von der Seite ringsum bis zur Ausstechform einschneiden und das überschüssige Kartoffelfleisch entfernen. Die Äpfel halbieren und das Kerngehäuse mit einem Messer vorsichtig herausnehmen.

2 Die Ecken des Fotokartons mit der Schere abrunden. Jetzt kannst du die gewünschte Farbe mit dem Pinsel auf den Kartoffel- bzw. Apfelstempel auftragen und den Stempel auf den Karton aufdrücken. Auf die Apfelmotive vereinzelt die Apfelkerne mit braunem Farbstift aufmalen.

3 Nach dem Trocknen die Klebefolie über das Set ziehen, gut ausstreichen und den Rest abschneiden. Schon hat jedes Familienmitglied ein individuelles, buntes Tischset.

79

Kürbisfiguren
kunterbunte Gesellen

ab 6 Jahren

MATERIAL
KÜRBISFIGUREN

* verschiedene Kürbisformen
* verschiedene Blätter, z. B. Ahorn, Ficus oder Robinien
* Ähren
* getrocknete Blütenstände von Feldgräsern
* Isländisches Moos
* Holzscheibe, ø 2 cm
* getrocknete Orangenscheibe
* Mandarinenschale
* Lampionfrucht
* Hagebutten
* Acrylfarbe in Weiß, Schwarz, Hellgrün und Rot
* Organzaband in Rot, 2 cm breit, 20 cm lang, und Orange, 5 cm breit, 30 cm lang
* 3 Schaschlikstäbchen
* 3 Zahnstocher

VORLAGE SEITE 141

Kürbisfiguren

1 Die Körper und Köpfe mit jeweils einem Schaschlikstäbchen verbinden. Eventuell die Löcher zuerst vorbohren und die Schaschlikstäbchen dann mit Holzleim oder Heißkleber fixieren. Rund um den Hals kannst du Blätter kleben.

2 Male die Gesichter gemäß Vorlage mit Acrylfarbe auf. Die Hagebutten mit einem Zahnstocher als Nasen befestigen.

3 Die Ähren als Haare in den Kopf einstecken, zuvor mit einer Prickelnadel Löcher vorstechen. Das Isländische Moos und die verschiedenen Gräser auf den Kopf kleben. Darüber die Schleife aus Organzabändern oder den Hut aus Orangenscheibe und Lampionfrucht befestigen. Eine Figur hat Ohren, diese kannst du aus Mandarinenschale oder Papier zuschneiden und von Zahnstochern anbringen.

4 Den großen Kürbis mithilfe von Messer und Löffel aushöhlen. Augen, Nase und Mund mit dem Messer einschneiden. In die Augenhöhlen Hagebutten als Augen einkleben. Ins Kürbisinnere kannst du jetzt einige Teelichter stellen.

Wenn dein Kürbis schrumpelig ist, dann lege ihn vor dem Basteln über Nacht in einen Eimer mit Wasser. Übrigens: Kürbisfiguren sehen lustig am Hauseingang aus – wie ganz verrückte Gäste!

Mein Tipp für dich

Steinchen-Spiele
lustiger Ferienspaß für zwei

ab 6 Jahren

MATERIAL

❄ flache Kieselsteine, ca. ø 3 cm
❄ Acrylfarben
❄ Pinsel
❄ Wasserglas
❄ Karton und Tonkarton, 21 cm x 21 cm
❄ Farbstifte
❄ Klebestift

1 Jeder Spieler sammelt Steine und bemalt sie mit Acrylfarbe. Für Quadlino braucht jeder Spieler 16 Steine, für Mühle neun. Achtet darauf, dass ihr eure Spielsteine später voneinander unterscheiden könnt. Jeder Spieler wählt also ein anderes Muster oder andere Farben.

2 Lasst die Steine trocknen und bereitet inzwischen das Spielbrett vor. Klebt dazu das farbige Papier auf den Karton. Für Quadlino unterteilt ihr das Spielbrett in 7 x 7 Felder. Für Mühle malt ihr drei ineinander liegende Quadrate auf und verbindet sie an allen vier Seiten mit einer Linie.

3 Ihr könnt die Steine auch mit Dekostiften oder Filzstiften bemalen. Das Spielbrett ist schnell auf ein Stück Papier, in die Erde, auf den Asphalt oder in den Sand gemalt. Eine prima Idee für den Urlaub und für unterwegs!

Quadlino

Zwei Spieler setzen abwechselnd einen Stein auf das Feld. Wer zuerst vier Steine nebeneinander liegen hat, gewinnt. Die Steine dürfen waagerecht, senkrecht oder diagonal liegen.

Mühle

Zwei Spieler setzen abwechselnd ihre Steine auf die Kreuzungs- und Eckpunkte. Wenn alle Steine platziert sind, dürfen die Steine auf jedes benachbarte freie Feld gezogen werden. Ziel ist es, drei eigene Steine in eine Reihe zu bringen. Wer das schafft, hat eine Mühle und darf dem Gegner einen Stein wegnehmen – aber nur einen Stein, der nicht zu einer geschlossenen Mühle gehört. Sobald ein Spieler nur noch drei Steine hat, darf er springen. Wer nur noch zwei Steine hat, hat verloren.

Mein Tipp für dich

Home sweet home
Springseilhaus

ab 3 Jahren

MATERIAL
* 2 Springseile in Gelb
* 45 Tannenzapfen
* 20 Äpfel
* 1 kg Walnüsse
* 35 grüne Blätter
* 20 Zierkürbisse

1 Du knotest die beiden Springseile zusammen und legst damit ein Seilhaus auf den Boden.

2 Der Text, den du dazu sprechen kannst, lautet: „Das ist das Haus vom Ni-ko-laus". Bei jeder Linie wird eine Silbe gesprochen und das Haus so in einem Zug gelegt. Vielleicht hast du das schon einmal auf einem Blatt Papier geübt?

3 Jetzt kannst du ans Ausgestalten gehen: Du füllst die vier Teile des Hauses mit Kürbissen, Äpfeln, Walnüssen und Blättern. Das Dach legst du zuletzt mit Tannenzapfen aus.

Eiskalte Liebe
Eiswürfelherz

ab 4 Jahren

MATERIAL
* Eiswürfelform mit Herzmotiv
* Beeren in Rot
* kleine Blätter in Grün

1 Du schneidest die kleinen roten Beeren und Blätter mit einer kleinen Kinderschere vom Zweig oder knubbelst sie ab.

2 Jetzt gibst du die Beeren in die Eiswürfelformen bis diese voll sind. In andere Eiswürfelformen füllst du Blätter. Dann gießt du ganz vorsichtig Wasser hinein.

3 Wenn die Temperaturen winterlich sind, kann man die Formen über Nacht draußen gefrieren lassen, sonst stellst du sie ins Gefrierfach.

4 Für das ganze Herz benötigst du ungefähr 30 kleine rote und 26 kleine grüne Eisherzen.

5 Im Garten oder auf dem Waldspielplatz kannst du die kleinen bunten Eisherzen zu einem großen Herz anordnen.

Elefantenparade

Paule Pünktchen und Willi Winzig

ab 8 Jahren

MATERIAL

* Speckstein
* Bleistift
* Bügelsäge
* Akkubohrmaschine
* Raspel oder Feile
* Konturenmesser
* Schleifschwamm
* Nassschleifpapier
* Wasserschale
* farblose Schuhcreme
* Tuch zum Polieren

VORLAGE SEITE 139

1 Suche dir für den großen Elefanten einen Stein in der Größe der Schablone, der gemustert ist. Denke daran, dass der Stein auch breit genug ist, sonst wird der Elefant nachher ganz dünn. Für den Babyelefanten wählst du einfach einen kleineren Stein. Nun kommt die Säge zum Einsatz. Säge eine Standfläche und eine gerade Seitenfläche von deinem Stein ab.

2 Klebe die Schablone auf die Seitenfläche und säge mit der Bügelsäge entlang der Konturen deinen Elefanten aus. Nimm den Bohrer zur Hand und bohre ein Loch zwischen den Stoßzähnen und dem Rüssel.

3 Zeichne mit Bleistift Hilfslinien auf den Stein, um festzulegen, wie dick der Elefant sein wird.

4 Damit die gewünschte Form entsteht, beginnst du nun, die Kanten mit Raspel und Feile abzurunden. Pass gut auf, dass die Ohren noch Platz haben. Tipps zum Thema Feilen findest du auf Seite 77.

5 Arbeite die Ohren mit Feile oder Messer aus. Bist du zufrieden? Dann kann dein Elefant ein Bad in der Wasserschale nehmen. Starte nun den Schleifprozesss. Schleife die Oberfläche von grob bis fein und pass auf, dass du keine Stelle vergisst.

6 Wenn du magst, polierst du dein Kunstwerk mit farbloser Schuhcreme und einem weichen Lappen. Unser großer Elefant sieht mit seiner Musterung aus, als hätte er ganz alte fleckige Haut.

Ein afrikanischer Elefant hat einen großen Leib und einen verhältnismäßig kleinen Kopf mit großen Ohren. Fast könnte man meinen, sein Kopf wäre an den Körper angeklebt, weil er einen sehr kurzen Hals hat. Wenn du das Hinterteil höher lässt, als es eigentlich ist, sieht es aus, als ob der Elefant vorwärts liefe.
Im Unterschied zu dem erwachsenen Elefanten hat der Babyelefant im Vergleich zu seinem Körper einen größeren Kopf. Er hat kurze, dicke Beine und ein tiefer liegendes Hinterteil.

Mein Tipp für dich

Fischers Fritzens Fische
super Strandfundstücke

ab 5 Jahren

MATERIAL
* Muscheln und Steine
* kleine Äste
* Acrylfarben
* Wackelaugen
* Schaschlikstäbchen
* Montagekleber

1 Klebe zuerst die Muscheln, Steine und Äste zu Figuren zusammen. Nach dem Trocknen des Klebers bemalst du die Tiere.

2 Die Figuren kannst du nun mit Punkten und Linien verzieren. Linien setzt du mit einem dünnen Rundpinsel auf die getrocknete Farbe. Punkte machst du mit einem Schaschlikstäbchen.

3 Für die Augen nimmst du kleine Steine oder Wackelaugen. Oder du tupfst mit einem Holz- oder Heißkleberstäbchen einen Farbpunkt und malst die Pupille nach dem Trocknen mit einem wasserfesten Stift auf. Den Mund mit Filzstift und die Wangen mit rosaroter Acrylfarbe aufmalen.

4 Mit einem Ast als Mast und Muscheln und Kieseln als Segel und Bullaugen wird aus Treibholz schnell ein Schiff. Für die Maste seitlich Löcher ins Holz bohren.

Willkommen!

für die kleinsten Gartenbewohner

mithilfe der Eltern ab 7 Jahren

MATERIAL

* Schalbrett, sägerau, 300 cm x 10 cm x 2,3 cm
* Glattkantbrett, gehobelt, 250 cm x 14 cm x 1,8 cm
* Rahmen, sägerau, 300 cm x 10 cm x 8 cm
* Buntlack in Spring, Terrakotta, Nussbraun und Schwarz
* Rundstab in Buche, ø 8 mm, 4 cm lang
* Tontopf, ø 9 cm, 8 cm hoch
* 2 Birkenäste, ca. ø 5 cm, je 10 cm lang
* Schilfstücke oder Bambusstab
* Stroh und Zweige
* Alublech, 20 cm x 16 cm
* Ringschraube, klein, zur Befestigung des Blumentopfes
* 18 Senkkopfschrauben, ø 3,5 mm, 35 mm lang
* 6 Senkkopfschrauben, ø 4,5 mm, 45 mm lang
* 8 Nägel, verzinkt, ø 1 mm, je 1 cm lang
* 2 Nägel, verzinkt, ø 2 mm, je 3 cm lang
* Holzbohrer, ø 3 mm, 3,5 mm, 5 mm, 6 mm und 8 mm
* Paketschnur, ca. 15 cm lang
* Gartenschere
* Tischkreissäge
* verstellbare Stichsäge

VORLAGE SEITE 142

1 Ein Erwachsener sollte sägen, du kannst alle Kanten glatt schmirgeln. Das macht also ein Erwachsener für dich: Zunächst die Seitenteile zusägen: Auf dem Schalbrett 70 cm abmessen, die Säge auf 45° einstellen und das Stück absägen. Dieses wieder so auf das Brett legen, dass die längere Seite anliegt. Am unteren Rand des Brettes eine Markierung machen. Die Säge wieder normal (gerade, 90°) einstellen und das Stück absägen. Nun hat man zwei spiegelverkehrte Teile als Seitenteile. Den Boden auf die Maße 14,5 cm x 10 cm zusägen.

2 Aus dem Rahmen drei je 10 cm lange Stücke mit der Tischkreissäge absägen. Mit verschiedenen Bohrern jeweils die 10 cm lange Seite anbohren, sodass ganz viele Öffnungen entstehen. Orientieren Sie sich dabei auch an der Abbildung. Für die Dachteile aus dem Glattkantbrett ein 18 cm und ein 20 cm langes Stück sägen.

3 Den Boden und die Seitenteile verschrauben. Die Ringschraube auf die Unterseite eines der Klötze mit den Bohrungen schrauben, daran wird später der Tontopf gehängt. Nacheinander die Klötze (zuerst den mit der Ringschraube) an die Seitenteile schrauben. Die Dachteile hinten bündig montieren.

4 Das Häuschen auf das Glattkantbrett legen und die Umrisse samt Dach mit einem Bleistift nachfahren. Sägen Sie nun dieses Rückenteil aus und nehmen Sie mit dem 3er-Bohrer an acht Stellen 5 mm vom Rand entfernt Vorbohrungen vor. Befestigen Sie das Rückenteil mit den Schrauben (ø 3,5 mm, 35 mm lang) am Häuschen. Das Schild gemäß der Vorlage aus dem Glattkantbrett sägen.

5 Du bemalst nun das Hotel: die Seitenteile mit verdünntem Spring und das Dach mit Terrakotta (unverdünnt) bemalen. Das Schild mit einer verdünnten Mischung aus Spring und Nussbraun grundieren, nach dem Trocknen die Schrift abpausen und mit leicht verdünntem Schwarz nachfahren. Schattiere das Schild und den Rand des Daches mit einem fast trockenen Pinsel mit wenig Schwarz.

Für die Einrichtung eines Insektenhotels kannst du auf diverse Naturmaterialien wie Baumrinde, Stroh, Heu, Schilfrohr, Reisig, Torf und Lehm zurückgreifen.

Mein Tipp für dich

6 Die Birkenstücke anbohren. Paketschnur um den Rundstab knoten und von innen durch das Loch im Boden des Topfes führen. Binde ihn an die Ringschraube und fülle ihn mit Stroh. Die Schilf- oder Bambusstücke und die Zweige passend zuschneiden und die Zwischenräume füllen, bis alles fest ist und nichts mehr herausfallen kann.

7 Den Abschluss übernimmt wieder ein Erwachsener: Das Alu-Blech mittig im 90°-Winkel biegen und oben am Dach mit acht Nägeln befestigen. Zuletzt nageln Sie das Schild an.

Farbe

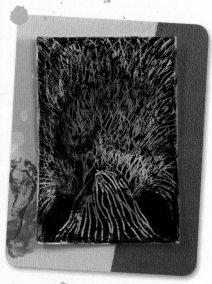

Mit Farbe kannst du umwerfend vielfältig arbeiten, denn es gibt viele verschiedene Techniken zu entdecken: Farbe kann man zum Beispiel pusten, stempeln, drucken, pinseln, tupfen – und sich dabei wie ein berühmter Künstler fühlen!

Vulkanausbruch
Grattage mit Lava-Effekt

ab 4 Jahren

MATERIAL
* Tonkarton in Weiß, A4
* Wachsmalkreiden in Schwarz, Gelb, Orange, Rot und Blau
* Kreppklebeband
* Stopfnadel oder Löffelstiel zum Kratzen

1 Fixiere den Tonkarton ringsherum mit einem Streifen Kreppklebeband auf der Tischplatte. Der Klebestreifen schützt den Tisch, falls du über das Papier hinaus malst. Außerdem sieht das fertige Blatt mit einem weißen Schmuckrand sehr schön aus.

2 Mit Wachsmalkreiden malst du ein buntes Muster auf das Papier in Gelb, Orange, Rot und Blau, sodass kein Weiß mehr sichtbar ist. Je stärker du aufdrückst, desto leuchtender werden die Farben.

3 Jetzt übermalst du dein Muster mit einer rein schwarzen Wachsmalschicht. Der bunte Grund sollte am Ende überall mit schwarzer Farbe bedeckt sein.

4 Nun beginnt der Zauber: Mit einem Löffelstiel oder einer Stopfnadel ritzt du einen gewaltigen Berg und emporschießende Lava in die dunkle Oberfläche. Wegen des bunten Untergrunds beginnen die Linien zu leuchten.

5 Vorsichtig kannst du nun die Klebestreifen vom Papier ziehen – fertig ist das Zauberbild!

94

Regenbogenaquarell
märchenhaft!

ab 3 Jahren

1 Zuerst das Aquarellpapier vom Block lösen und mit dem Kreppklebeband auf dem Holzbrett ringsherum abkleben – so verzieht sich das Papier nicht so stark.

2 Tauche den Schwamm in die Wasserschüssel und wringe ihn etwas aus. Dann streiche das gesamte Papier mit Wasser ein. Die Papieroberfläche sollte glänzen, ohne dass sich Wasserlachen bilden.

3 Setze mit dem Pinsel einen lila Bogen von links nach rechts quer über dein Blatt. Schau, wie die Farbe sofort nach oben und unten verläuft. Nimm viel Farbe und fahre die Spur evtl. mehrmals nach, so dass sie schön leuchtet. Vervollständige den Regenbogen mit den übrigen Farben:

Rot, Orange, Gelb, Grün und Blau, wasche aber vorher immer wieder deinen Pinsel aus. Die Ränder der Farben dürfen sich berühren und ineinander laufen: Es entsteht ein schönes Farbenspiel.

4 Nun zauberst du: Nimm den Salzstreuer und lasse die Kristalle auf dein Bild rieseln. Das Salz saugt Wasser und Farbe auf: So bilden sich später an diesen Stellen wunderschöne weiße Muster.

5 Lasse dein Bild gut trocknen. Dann pustest du die übrig gebliebenen Salzkörner vom Papier. Langsam und vorsichtig die Klebestreifen ablösen – fertig ist das Märchenbild!

MATERIAL
* festes Aquarellpapier (220g/m), 24 x 32 cm oder größer
* Aquarellfarben in Lila, Rot, Orange, Gelb, Grün und Blau
* Synthetikhaarpinsel
* Wasserglas
* Schwamm und Schüssel
* Salzstreuer
* Holzbrett-Unterlage
* Kreppklebeband

Fixes Pusten
Wasserfarben mal anders

ab 3 Jahren

1 Mit dem Pinsel schleuderst du bunte Farbspritzer aufs Papier.

2 Mithilfe des Strohhalms werden die Flecken zu Rinnsalen gepustet. Wenn du von einer anderen Stelle aus pustest, verästeln sie sich.

3 Wenn man den Strohhalm beim Blasen hin und her bewegt, entstehen lustige Effekte. Das Bild wird umso spannender, je mehr Farbflecken und Blasspuren auf dem Papier verteilt sind.

4 Mit dem Tonpapier lassen sich schnell Klappkarten falten: Mittig knicken und ein Lieblingsmotiv ausschneiden. Das Loch hinterklebst du mit deinem Wasserfarbenpapier – fertig!

MATERIAL
- ❊ Tonpapier in Rot, Gelb und Blau
- ❊ Zeichenpapier, A3
- ❊ Wasserfarben
- ❊ mehrere leere Joghurtbecher
- ❊ Strohhalme
- ❊ flacher Haarpinsel
- ❊ Klebstoff
- ❊ Schere

Aus dem getrockneten Papier lassen sich schöne Dinge herstellen, etwa eine Minischatzkiste aus einer leeren Streichholzschachtel oder ein Überraschungsbonbon. Für das Bonbon wird eine leere Papprolle mit dem selbst gemachten Papier überzogen und ein kleines, in farbiges Krepppapier eingewickeltes Geschenk hindurchgezogen. Die herausstehenden Zipfel werden mit hübschen Schleifen aus rotem Satinband verziert.

Mein Tipp für dich

Märchenschloss
Schwammdruck für Schlossherren

ab 5 Jahren

1 Verteile die Gouachefarben großzügig auf Papptellern und halte für jede Farbe einen Schwamm bereit. Je mehr verschiedene Schwämme du verwendest, umso nuancierter und lebendiger ist anschließend das Bild.

2 Lasse einige Schwämme unzerschnitten. Die anderen schneidest du in verschieden große Stücke. Wichtig ist, dass man immer mit der unbeschichteten Seite des Schwamms Farbe aufnimmt.

3 Zuerst wird der Himmel in Blau, die Wiese in Grün und das Schloss in Gelb mit Schwämmen gedruckt und gewischt. Diese erste Schicht kann relativ feucht gearbeitet werden.

4 Ist die erste Schicht getrocknet, kannst du zu schmückenden Details wie Fenstern, Schornsteinen, Blumen und dem Schlossportal übergehen. Bei dieser Farbschicht sollte die Farbe eher weniger nass aufgetupft werden.

Echte „Handtaschen"
bunter Hand- und Fußdruck

mithilfe der Eltern ab 2 Jahren

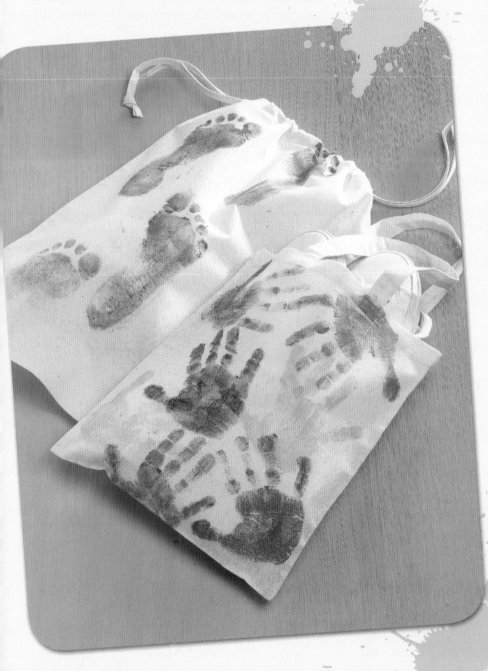

MATERIAL
* Baumwolltragetasche oder Baumwollbeutel
* Stoffmal- und Druckfarbe in Gelb, Rot, Blau und Grün
* Malschwämmchen
* Zeitungspapier

1 Pappe oder sehr viel Zeitungspapier in die Tasche legen, damit die Farbe nicht auf die andere Seite durchfärbt. Mit einem dicken Pinsel oder einem Malschwämmchen eine Hand mit Textilfarbe bestreichen. Diese mit festem Druck auf die Baumwolltasche pressen.

2 Vor jedem neuen Druck die Hand erneut einstreichen. Beim Wechsel der Farbe die Hände gründlich waschen und abtrocknen.

3 Beim Fußdruck genauso verfahren. Da es schwieriger ist, sich den Fuß selbst mit Farbe einzupinseln, ist es praktischer und lustiger, sich gegenseitig die Füße einzupinseln. Bei kitzligen Füßen sind Malschwämmchen empfehlenswert.

4 Ein Erwachsener sollte die Farbe nach Herstellerangabe auf dem Beutel fixieren. Oft geht das durch Bügeln.

Pünktchen-Malerei
Malen wie die Aborigines

ab 3 Jahren

MATERIAL

✳ Acrylfarben

✳ Wattestäbchen, Schaschlikstäbchen, Heißkleberstäbchen, Rundhölzer in verschiedenen Durchmessern

✳ kleine Pappschachteln, Schuhkartondeckel oder Papierbilderrahmen

VORLAGE SEITE 142

1 Übertrage zuerst die Zeichnung auf den ausgewählten Untergrund. Bei geometrischen Mustern genügt es, wenn du wichtige Linien mit Bleistift und Lineal vorzeichnest.

2 Male nun die Flächen mit Pinsel und Farbe aus. Lass immer eine Farbfläche trocknen, bevor du die danebenliegende ausmalst, sonst verlaufen die Farben (eventuell mit einem Föhn nachhelfen).

3 Die Punkte werden aufgedruckt, je nach Durchmesser deines Stäbchens werden sie größer oder kleiner. Die Farbe sollte eine cremige Konsistenz haben. Tauche das Stäbchen hinein und drucke den Punkt auf den Untergrund. Für schöne Abdrucke nimmst du für jeden Punkt neue Farbe auf.

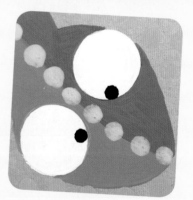

Diese Maltechnik erinnert an die Malerei der Ureinwohner Australiens, die Aborigines. Erdtöne wie Rot, Braun, Grün, Gelb und Orange passen gut dazu. Mit den Mustern kannst du Rahmen, Schachteln und Bilder gestalten.

Mein Tipp
für dich

Auf Dampfschifffahrt
in der Aussprengtechnik

ab 4 Jahren

1 Male dein Motiv mit Wachsmalkreiden auf das Aquarellpapier. Drücke dabei fest mit den Stiften auf und male die Flächen vollständig aus, damit sich später keine Wasserfarbe dazwischensetzt.

2 Du kannst die Flächen zusätzlich noch föhnen. Dabei schmilzt das Wachs und bildet eine geschlossene Schicht, von der die Wasserfarbe abperlt.

3 Verdünne die Wasserfarbe mit viel Wasser und trage Sie mit einem breiten Pinsel über das gesamte Bild auf. Sie haftet nur auf den unbemalten Flächen.

MATERIAL
* Aquarellpapier
* Wachsmalkreiden
* Föhn
* Wasser- oder Aquarellfarben

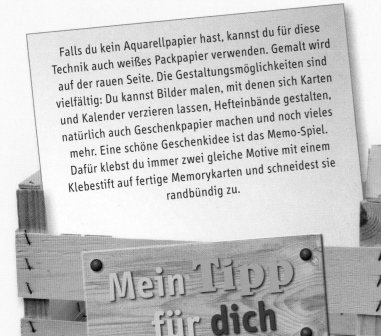

Falls du kein Aquarellpapier hast, kannst du für diese Technik auch weißes Packpapier verwenden. Gemalt wird auf der rauen Seite. Die Gestaltungsmöglichkeiten sind vielfältig: Du kannst Bilder malen, mit denen sich Karten und Kalender verzieren lassen, Hefteinbände gestalten, natürlich auch Geschenkpapier machen und noch vieles mehr. Eine schöne Geschenkidee ist das Memo-Spiel. Dafür klebst du immer zwei gleiche Motive mit einem Klebestift auf fertige Memorykarten und schneidest sie randbündig zu.

Mein Tipp für dich

Fiese Kräuterhexe
belegt alle mit einem Fluch

ab 7 Jahren

MATERIAL
* ✱ wasserlösliche Schminkfarbe in Mintgrün, Mittelgrün, Hellgrün, Weiß und Schwarz
* ✱ feinporiger Schwamm
* ✱ dünner Schminkpinsel

1 Grundiere das Gesicht, Hals, Dekolleté, Arme und Hände der Hexe zunächst leicht unregelmäßig und fleckig mithilfe eines Schwämmchens in Mintgrün.

2 Danach mit Hellgrün über den Augenbrauen ovale Flächen in Blattform grundieren. Auch auf dem Dekolleté in einer Mischung aus Hellgrün und Weiß eine Kette blätterartig aufmalen. Nun auf die Wangenknochen und der Stirn etwas Hellgrün mithilfe des Schwämmchens auftupfen.

3 Male nun mit weißer Farbe und einem spitzen Pinsel feine Blattadern in die Blätter über den Augenbrauen und auf dem Dekolleté. In die Augenwinkel setzt du kleine weiße, nach unten zeigende Dreiecke. Nun in Weiß mithilfe eines dünnen Pinsels ein Spinnennetz und einen Spinnenfaden auf die Wange malen. Damit das Netz noch transparenter erscheint, kannst du es auch mit weißem Glitzer nachmalen.

4 Danach werden die Lippen mit Mittelgrün bemalt und die kleinen Spinnen in das Netz bzw. auf die Wange gemalt. Fahre anschließend das weiße Dreieck in den Augenwinkeln mit Schwarz nach, führe die Linie weiter unter dem Auge entlang und lasse sie an den Schläfen gestrichelt auslaufen. Ebenfalls in Schwarz am Nasenflügelansatz kleine Dreiecke aufmalen.

5 Nun noch die zuvor in Weiß aufgemalten Blattadern und Konturen in Schwarz nachmalen und schon kann die Hexe ihr Unwesen treiben.

Untoter Geselle
bringt jeden zum Zittern und Bibbern

MATERIAL
* wasserlösliche Schminkfarbe in Weiß, Rot, Schwarz und Dunkelblau
* Hautwachs
* Filmblut
* kleine Plastikspachtel
* Schminkpinsel oder –schwamm

mithilfe der Eltern
ab 6 Jahren

Gesicht und Arme grundieren

1 Bevor du die Wunden auf dem Gesicht und an den Armen modellierst, grundierst du zunächst alle Hautpartien, die nicht durch dein Kostüm bedeckt werden, mit einem Schwamm und weißer Schminkfarbe – vergiss dabei deine Ohren nicht!

2 Tupfe nun um die Augen, an den Mundwinkeln und Wangenknochen etwas schwarze Farbe auf, um dem Zombie-Gesicht etwas Tiefe und ein gewollt ungesundes Aussehen zu verleihen. Streiche auch auf den Armen und am Ausschnitt etwas schwarze Farbe auf – das lässt den Zombie noch gefährlicher erscheinen.

Wunden modellieren

1 Für die Wunden nimmst du jeweils etwas Hautwachs und formst es zu unterschiedlich langen Wülsten. Diese platzierst du an gewünschten Stellen deines Körpers, an den Armen oder im Gesicht. Drücke sie fest an und streiche sie in Form. Das Hautwachs bleibt ohne zusätzlichen Klebstoff haften.

2 Färbe danach die Wunde mit roter Schminkfarbe und einem Schminkschwamm leicht ein. Der Übergang von der Wunde zur Haut wird leicht weiß eingefärbt. Trage die weiße Farbe unregelmäßig auf, damit deine Hautfarbe noch vereinzelt blass durchscheint.

3 Nun die Wundstelle der Länge nach mit einer kleinen Spachtel einschneiden. Ziehe die Schnittränder etwas nach oben heraus, um sie optisch wie abstehende Hautfetzen wirken zu lassen. Danach die Wunden innen blau einfärben und einen Spritzer Filmblut in die Wunde geben, der über die Wunde hinauslaufen kann. Der Filmbluttropfen hört nach 2 cm auf zu fließen und trocknet rasch an. Wenn du davon etwas auf deine Stirn oder Nase gibst, solltest du achtgeben, dass das Filmblut nicht in deine Augen oder in deinen Mund läuft, indem du diese 2 cm Abstand hältst. Danach kannst du noch einzelne Blutstropfen auf deinem geschminkten Körper verteilen.

Wilde Katzenpower

ein Wollknäuel für die Mieze

ab 6 Jahren

1 Kopiere das Motiv der spielenden Miezekatze von der Vorlagenseite und befestige es mit Klebeband unter der Malplatte oder der Folie. Nun kannst du mit dem Nachziehen der Kontur beginnen und das Bild dabei in alle Richtungen drehen. Die Farbe sollte anschließend bis zu fünf Stunden trocknen.

2 Fülle die einzelnen Flächen großzügig mit Farbe auf und beachte dabei, dass diese bis zu den Rändern reichen muss. Wie man Windowcolorfarben schattiert, liest du auf Seite 6.

3 Lasse das Bild über Nacht trocknen. Wenn du möchtest, kannst du abschließend mit einem weißen Lackmalstift Lichtreflexe auf die Augen und das Näschen tupfen. Löse dann die spielende Katze vorsichtig von der Malplatte, damit sie ihre gute Laune im Kinderzimmer verbreiten kann.

Du kannst den Wollknäuel auch mit ganz vielen verschiedenen Farben ausmalen. Schließlich gibt es viele Wollen mit Muster! Beachte dabei aber die Reihenfolge deiner Mischung. Solange die Farben noch feucht sind, laufen sie ein bisschen ineinander, sodass ein schöner Verlaufeffekt entsteht.

Mein Tipp für dich

Marienkäferschwarm

lustiger Fingerdruck

ab 4 Jahren

MATERIAL

* Acrylfarbe in Weiß, Gelb, Mittelgrün und Karminrot
* wasserfester Filzstift in Schwarz
* Lineal
* Keilrahmen, 20 cm x 20 cm
* Schwämmchen

1 Gib als Erstes etwas Weiß, Gelb und Mittelgrün auf die Palette. Mit dem Schwämmchen Weiß und Gelb aufnehmen und gleichmäßig auf den Keilrahmen tupfen. Dann mit dem gleichen Schwamm etwas Grün aufnehmen und auf den noch feuchten Hintergrund tupfen. Auch um die Kante herum arbeiten. Den Farbauftrag noch mal überprüfen und eventuell überarbeiten. Dicke Farbschichten durch mehrmaliges Übertupfen gleichmäßig verteilen. Trocknen lassen.

2 Mit dem Zeigefinger in gelbe Farbe eintauchen und mehrere Punkte als Blumenmitte jeweils mit einigem Abstand zueinander auftupfen. Nun den Zeigefinger in weiße Farbe eintauchen und an einen der gelben Punkte oben und unten einen weißen Punkt als Blütenblatt tupfen. Erneut weiße Farbe aufnehmen und rechts und links neben der gelben Blütenmitte je zwei Blütenblattpunkte tupfen. Jetzt alle Blüten so arbeiten. Wer verstanden hat, wie so eine Blüte gemalt wird, kann auch eine weiße Mitte tupfen und drum herum gelbe Blütenblätter. Die Anzahl der Blumen bleibt jedem selbst überlassen.

3 Nun das Karminrot auf die Palette geben. Mit dem Zeigefinger wieder Farbe aufnehmen und damit die Marienkäfer tupfen. Trocknen lassen.

4 Jetzt mit dem schwarzen Filzstift die Köpfe, Fühler und je Seite drei Beinchen an die roten Punkte zeichnen. Auf den roten Punkt die kleinen schwarzen Pünktchen setzen.

5 Zum Schluss kannst du mit Filzstift und Lineal im Abstand von 2 cm von den Keilrahmenrändern eine Linie auf das Bild zeichnen. Dabei werden die Motivteile ausgespart. Diese Linie rundherum gibt dem Bild einen Rahmen.

Bunte Segelboote

stimmungsvoll

ab 7 Jahren

1 Als Erstes gestaltest du die Segel. Dafür zunächst einen Klecks weiße Acrylfarbe auf eine Palette oder einen alten Teller geben. Mit dem Pinsel etwas Farbe aufnehmen und zuerst die schmalen Kanten von zwei Holzkeilen rundherum bemalen. Anschließend auch noch jeweils die obere Segelfläche anmalen. Die bemalten Keile zum Trocknen zur Seite legen. Nun jeweils zwei weitere Keile in gleicher Weise mit Gelb, dann die nächsten zwei mit Orange und die letzten zwei mit Rot bemalen und trocknen lassen. Nach dem Malen den Pinsel gut säubern.

2 Nun wird der Himmel gestaltet. Dafür Hellblau und Weiß auf die Palette geben. Mit einem Schwämmchen in beide Farben tupfen und diese im oberen Bereich des Keilrahmens verstreichen. Dabei immer waagerechte Streifen ziehen: von links nach rechts und von rechts nach links. Es empfiehlt sich, diese Handbewegung zunächst in der Luft auszuprobieren. Anschließend noch ein zweites Mal mit waagerechten Strichen über die Himmelsfläche streichen sowie um die seitlichen Kanten herum. Sind keine weißen Punkte mehr im Himmel zu sehen, mit der Gestaltung der Wasserfläche fortfahren. Dafür ganz wenig von dem dunkleren Phthaloblau auf die Palette geben. Die Farbe mit dem Schwämmchen aufnehmen und auf dem noch frei gelassenen, unteren Bereich des Bildes in waagerechter Führung aufstreichen. Dabei auch wieder um die Kanten herum arbeiten. Etwas Weiß ins Schwämmchen nehmen und in den unteren Teil vermalen. So entstehen weiße Wellen auf dem dunklen Wasser. Das Bild trocknen lassen.

3 Für den schmalen Strandbereich mit einem sauberen Teil des Schwämmchens Weiß, Gelb und Orange aufnehmen und ganz unten auf dem Keilrahmen verstreichen. Trocknen lassen.

4 Nun die inzwischen getrockneten Segel jeweils so auf dem Bild anordnen, dass die Segelunterseite sich im Wasserbereich befindet. Dabei immer zwei farblich zusammengehörige Segel mit etwas Klebstoff nebeneinander auf der Leinwand fixieren.

5 Einen weiteren Holzkeil in weiße Farbe tupfen und als Pinsel benutzen. Mit jeweils zwei leicht gebogenen Strichen Möwen auf den Himmel malen. Schließlich den Schiffskörper, den Ansatz und die Spitze des Mastes sowie die Fahnen nach Belieben mit den zuvor verwendeten Farben aufmalen oder mit dem Holzkeil aufstempeln. Verwende für die Schiffsfahnen nur sehr wenig Farbe.

MATERIAL
* Acrylfarbe in Weiß, Gelb, Rot, Orange, Hellblau und Phthaloblau
* Klebstoff
* Keilrahmen, 20 cm x 20 cm,
* 9 Holzkeile
* Borstenpinsel Nr. 4
* Schwämmchen

Recycling-
material

Hast du schon einmal daran gedacht, aus Klorollen ein Fernrohr zu basteln, aus leeren Joghurtbechern ein Memo-spiel oder aus einem alten Karton ein ganzes Haus? Mit Recyclingmaterialien sind deiner Fantasie keine Grenzen gesetzt, du findest sie überall bei dir zu Hause und kannst die tollsten Spielsachen daraus basteln.

Pfiffiger Herd
– hier verbrennt sich keiner die Finger!

**mithilfe der Eltern
ab 5 Jahren**

MATERIAL
* 2 große Umzugs-
  kartons
* Starke Pappe
* Pappreste
* Rundholzstab
* 5 Wäscheklammern
* 5 Weinkorken
* 5 Zahnstocher
* Acrylfarbe in Weiß,
  Schwarz, Rot, Hell-
  grau und Gelb
* Hasenschablone
* Wachsstifte in Weiß
  und Braun
* Hakenleiste
* Teelichthülle
* Cutter
* Montagekleber

1 Du nimmst zwei große Kartons und verbindest sie mit einer zusätzlichen Papprückwand.

2 Die Kochplatten können aufgemalt oder aufgeklebt werden. Korken werden mit Zahnstochern befestigt, sodass du sie drehen kannst.

3 Für die Spüle wird ein Styropor®teil ein-
gesetzt (findet man oft bei Verpackungsmaterial
von Elektrogeräten). Eventuell musst du es grau
bemalen.

4 Die Ofenklappe wird mithilfe eines Cutters
herausgetrennt – das sollte ein Erwachsener
übernehmen.

5 Sind alle Einzelteile aufgebaut, kannst du
deine Küche bemalen. Ist alles getrocknet, fixierst
du lose Elemente, wie beispielsweise die Herd-
platten, mit Montagekleber. Dann holst du dein
Puppengeschirr und die Kochshow kann beginnen!

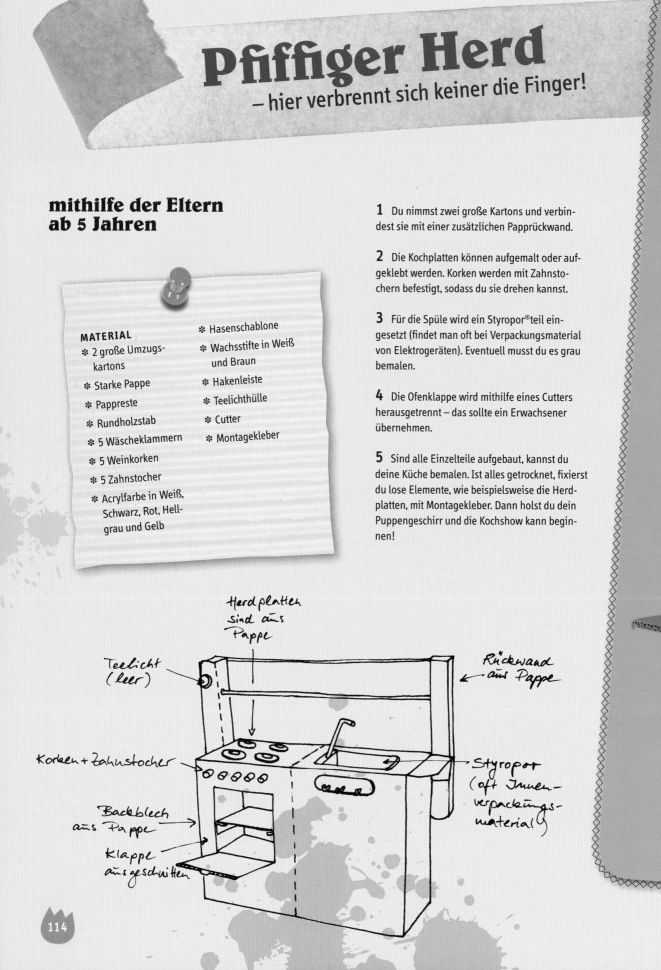

Äußerst geheimnisvoll

wo ist der Schatz vergraben?

ab 6 Jahren

Flaschenpost

1 Zeichne mit Bleistift an den Rändern des Marmorpapiers Bögen auf und reiße den Vorzeichnungen entlang an allen Rändern Stücke ab. Spitze einen schwarzen Farbstift, nimm die Buntstiftspäne mit dem Zeigefinger auf und reibe kreisförmig die gerissenen Ränder damit ein. Du kannst die Ränder auch mit schwarzem Farbstift schraffieren, indem du ihn schräg hältst.

2 Schreibe mit rotem Farbstift „Flaschenpost" auf das Papier und klebe es auf die Flasche. Klebe mittig auf den Plastikdeckel des Weinkorkens den roten Filz und setze den Korken in den Flaschenhals, vergiss aber nicht, vorher deine Nachricht in die Flasche zu stecken.

3 Übertrage Muscheln und Seesterne auf verschiedenfarbige Tonpapierreste und schneide alles aus. Male Muster und Linien mit braunem und weißem Buntstift auf.

4 Nun die Flasche mit der Kordel umwickeln und am Verschluss verknoten. Die Reststücke der Kordel kannst du einfach auf gewünschte Länge abschneiden. Damit die Kordel nicht wegrutscht, kannst du sie an verschiedenen Stellen zusätzlich mit Klebstoff befestigen.

5 Beklebe die Flasche mit Muscheln und Seesternen.

Schatzkarte

1 Reiße vom Marmorpapier an allen Rändern kleine Stücke ab. Spitze einen schwarzen Farbstift und nimm die Buntstiftspäne mit dem Zeigefinger auf. Reibe damit kreisförmig die gerissenen Ränder ein.

2 Jetzt kannst du die Schatzkarte mit Farbstiften, so wie es dir gefällt, gestalten. Versuche die Route zum Versteck so aufzuzeichnen, dass man viele verschlungene Umwege machen muss, um zum Schatz zu gelangen.

3 Übertrage das Siegel auf roten Fotokarton, schneide es aus und bemale es mit braunem Farbstift. Halte dabei den Stift etwas flach.

4 Schneide das blaue Band in zwei gleich große Teile und klebe es an zwei Enden hinten an das Siegel. Schneide die beiden anderen Enden schräg ab und klebe das Siegel auf die Schatzkarte.

MATERIAL

FLASCHENPOST
* Glasflasche, transparent, für ca. ¾ l Inhalt
* Papier mit Marmoreffekt in Beige, ca. 10 cm x 15 cm
* Tonpapierreste in Hellorange, Dunkelorange, Beige, Hellbraun und Hautfarbe
* Filz in Rot, ø 11 cm
* Kordel in Hellgrün, ø 3 mm, ca. 1,5 m lang
* Weinkorken mit Plastikdeckel, passend zur Glasflasche

SCHATZKARTE
* Papier mit Marmoreffekt in Beige, A4
* Fotokartonrest in Rot
* Satinband in Blau, 2,5 cm breit, ca. 20 cm lang

VORLAGE SEITE 143

Schreibe eine Nachricht auf ein Blatt Papier, rolle das Papier fest zusammen und fixiere es in der Mitte mit einem Klebestreifen oder einem Gummiring. So kann die Botschaft später ganz einfach aus der Flasche herausgezogen werden. Du kannst natürlich auch die Schatzkarte oder andere kleine Gegenstände in die Flasche stecken.

Mein Tipp für dich

Meine Marionette

aus Papprollen

ab 5 Jahren

MATERIAL

* 2 Toilettenpapier-
  rollen
* Acrylfarbe in Blau
* Moosgummireste in
  Gelb und Grün
* 2 Selbstklebepunkte
  in Weiß, ø 1 c
* 3 Federn in Pink
* 2 Schraubverschlüs-
  se von Getränkefla-
  schen, ca. 2,8 cm
* reißfester Zwirn
* Rundholzstab,
  ø 2 cm,
  ca. 15 cm lang
* Nähnadel
* Prickel- oder Stopf-
  nadel
* Fotokartonrest in
  beliebiger Farbe

**VORLAGE
SEITE 143**

1 Bemale die beiden leeren Papprollen und lasse sie trocknen. Für den Vogelkopf ein ungefähr 4,5 cm langes Stück von einer der beiden bemalten Rollen abschneiden. Auf einer Seite rundum einige zackenförmige Einschnitte als Kopffedern machen. Darauf die Augen kleben und anmalen. Den gelben Moosgummischnabel zusammengeknickt in zwei 7 mm tiefe Einschnitte zu beiden Seiten des Kopfes stecken.

2 Die zweite, grundierte Rolle so abschneiden, dass sie auf einer Seite, dem späteren Rücken, ca. 7 cm lang ist. Die gegenüberliegende Seite, der Bauch, soll ca. 5 cm lang sein. Die schrägen Seiten wieder in Zacken zurechtschneiden. Dies ist aber nicht unbedingt erforderlich. So wie du magst, kleine Federn und Moosgummischwanzfedern auf den Körper kleben.

3 Falte zwei Streifen Fotokarton (1,7 cm x 24 cm) zu einer Hexentreppe. Oben den Kopf, unten den Körper ankleben oder festnähen.

4 Durch die beiden Schraubverschlüsse mit einer Prickel- oder einer Stopfnadel Löcher stechen und den Faden wie abgebildet durch die Löcher und den Körper führen und jeweils gut verknoten.

Bunte Shampoofische

machen Lust auf Urlaub

ab 6 Jahren

MATERIAL

* leere Shampoo- und Duschgelflaschen in verschiedenen Formen und Größen
* feste Fotokartonreste
* Wattekugel, ø 2,5 cm (pro Fisch)
* Malerkrepp, ca. 3 cm breit
* Tapetenkleister
* Zeitungspapier

* Seidenpapier in Weiß
* Toilettenpapier oder Papiermachébrei
* Acrylfarbe in Gelb, Orange, Rot, Pink, Hellviolett, Türkis, Hellblau, Mittelblau, Hellgrün, Weiß und Schwarz
* Glitterstift in Rosa

VORLAGE SEITE 141

1 Die Flossen, den Schwanz und eventuell das Maul aus Fotokarton ausschneiden. Auf dem Vorlagenbogen findest du verschiedene Flossenformen, wähle die zu deiner Plastikflasche Passende aus.

2 Die Papierteile an den gestrichelten Linien knicken und mit Klebstoff und Malerkrepp auf dem Plastikbehälter befestigen.

3 Nun die Form rundum, wie auf Seite 7 beschrieben, mit Zeitungspapierschnipseln und Tapetenkleister kaschieren.

4 Mit Toilettenpapierwulsten den Übergang zwischen Kopf und Körper sowie die Flossenumrandungen gestalten.

5 Als Augen auf beiden Seiten des Behälters halbierte Wattekugeln aufsetzen.

6 Nach Belieben kannst du nun alles noch mit einer Schicht Seidenpapierschnipseln überziehen, das macht die Form kompakter.

7 Anschließend den Fisch mit weißer Farbe grundieren. Nach dem Trocknen alle Flächen wie abgebildet bemalen. Rund um die Augen ist die Farbe leicht schattiert. Der Körper des mittleren Fischs ist zusätzlich mit Glitterstift verziert.

Was klingt gleich?

Hörmemo der besonderen Art

ab 4 Jahren

1 Du füllst jeweils zwei rote Becher mit der gleichen Menge Rasselmaterial, z. B. einem Teelöffel Reiskörner.

2 Du gibst Alleskleber auf den oberen Rand und klebst einen gelben bzw. orangefarbenen Becher oben drauf. So klingt jeweils ein rot-gelber und ein rot-orangener Behälter gleich.

3 Mit dem Stanzer stanzt du zwei gleichfarbige Herbstblätter aus und klebst je ein Blatt auf die rote, untere Seite der beiden gleichklingenden Behälter.

4 Mit den anderen Behältern und Füllmaterialien wird ebenso verfahren.

MATERIAL

✳ kleine Joghurtbecher in gleicher Anzahl in Orange und Gelb, in doppelter Anzahl in Rot

✳ unverderbliches Material zum Füllen, z. B. Reiskörner, Eicheln oder Steinchen

✳ Stanzer „Ahornblatt", ø 2,5 cm

✳ Tonpapierreste in verschiedenen Farben

✳ Alleskleber

Auf der einen Seite stellst du die orange-roten, auf der anderen Seite die gelb-roten Behälter mit der roten Seite nach unten auf. Nun nimmst du einen gelb-roten Becher in die eine Hand, schüttelst ihn und konzentrierst dich auf dessen Klang. Nun nimmst du nacheinander die orange-roten Becher in die andere Hand und versuchst durch Schütteln herauszufinden, welche zwei Behälter gleich klingen. Glaubst du die beiden zusammengehörenden Behälter gefunden zu haben, drehst du die Schüttelbehälter um, sodass man die farbigen Ahornblätter sehen kann. Haben die beiden die gleiche Farbe, hast du richtig gehört.

Mein Tipp für dich

Knusper Knäuschen
Wer knuspert an meinem Häuschen?

mithilfe der Eltern ab 3 Jahren

1 Zuerst stellst du auf einer Malunterlage deinen Stempel, das Tonpapier, einen Pappteller und die schwarze Farbe bereit.

2 In jede Ecke des Tonpapiers wird ein Tropfen gestempelt. Nach dem Trocknen sind die Lebkuchen für dein Knusperhaus bereits fertig.

3 Zwischenzeitlich kann ein Erwachsener mit dem Teppichmesser die beiden kurzen Flügel des Kartondeckels abschneiden. Die länglichen Deckelseiten mit dem Panzerband zu einem Dach zusammenkleben. Falls das Dach zu flach ausfällt, kann der Karton insgesamt gekürzt werden und die Deckelseiten mit einem neuen Falz versehen werden.

4 Für die Tür und die Fenster zeichnest du mit Bleistift die gewünschten Öffnungen auf und schneidest diese anschließend aus.

5 Die fertig gedruckten Lebkuchen kannst du nun überall auf das Häuschen kleben. Beginne dabei mit dem Dach und gestalte dann die Tür, die Fensterläden und zuletzt den Rest des Häuschens.

MATERIAL
* großer Karton
* Teppichmesser
* Panzerband
* Tonpapier in Rot, A3
* Tonpapier in Dunkelgrün, Grün, Braun, Dunkelrot, A4
* Tonpapier in Gelb, Pink und Orange, A5
* Stempel „Tropfen", ø 5 cm
* Acrylfarbe in Schwarz
* Pappteller
* Alleskleber

Windlichtdosen
erleuchten den Weg zum Zeltplatz

ab 8 Jahren

1 Mit dem Filzstift Muster und Ornamente auf die Dose malen. Am besten nur die einzelnen Punkte auftupfen, die dann gelocht werden.

2 Die Dose mit Wasser füllen und über Nacht in den Tiefkühler stellen (im Winter nach draußen), dann verbeulen sie nämlich bei der Bearbeitung nicht.

3 Am nächsten Tag mit dem Dosenlocher und dem Hammer Löcher in die Markierungen schlagen. Dazu die Dose auf ein dick zusammengefaltetes Handtuch legen. Jetzt kannst du den Eisblock aus der Dose entfernen.

4 Stelle jetzt ein Teelicht hinein, anzünden – fertig!

Ist kein Tiefkühler in der Nähe, kannst du dir mit einem Stück Holz in der passenden Stärke behelfen, das du beim Löcherbohren gegen die Dosenwand drückst.

Mein Tipp für dich

MATERIAL
* Konservendosen
* Dosenlocher
* Hammer
* wasserfester Filzstift
* Handtücher
* Teelichter

Fieses Gaunerpaar
den beiden entgeht keine Beute

MATERIAL
* Toilettenpapierrolle, ø 4,5 cm, ca. 10 cm hoch
* Fotokartonrest in Hautfarbe
* roter Pompon, ø 1 cm
* dünner Filzstift in Rot und Schwarz
* Heftgerät

ZUSÄTZLICH PIRAT
* Tonpapier in Weiß, 20 cm lang, 10 cm breit, in Schwarz, 4 cm breit und in Braun, 1,2 cm breit
* Tonpapierrest in Rot-Weiß gepunktet
* Fotokartonreste in Silber und Gold
* Filzstift in Hellblau

PIRATENBRAUT
* Tonpapier in Schwarz, 20 cm lang, 9,5 cm breit, und in Rot, 4 cm breit
* Tonpapierrest in Pink
* Goldpapier, 1,2 cm breit, 20 cm lang
* Borte in Gold, 1 cm breit, 20 cm lang
* Selbstklebepunkte in Hellgrün, ø 8 mm
* dünner Goldstift
* Wollrest in Rotbraun

VORLAGE SEITE 140

ab 5 Jahren

Pirat

1 Male mit hellblauem Filzstift auf weißes Tonpapier Streifen und beklebe die Toilettenpapierrolle oben mit weiß-blau gestreiftem und unten mit schwarzem Tonpapier. Hefte die Rolle am oberen Ende zusammen.

2 Übertrage den Kopf des Piraten auf hautfarbenes, Kopftuchteile auf rot-weiß gepunktetes Tonpapier und schneide alles aus. Das Kopftuch vorne auf den Kopf kleben, den Tuchknoten von hinten fixieren. Jetzt noch die rote Pomponnase ergänzen, das Gesicht mit Filz- und Farbstiften gestalten und die Augenklappe mit schwarzem Stift aufmalen.

3 Übertrage die Gürtelschnalle, den Ohrring und den Säbelgriff auf Goldkarton, den Säbel auf Silberkarton und schneide alle Teile aus. Befestige den Gürtel aus braunem Tonpapier mit Klebstoff über dem Hosenbund, vergiss dabei nicht, den Säbel mit aufgeklebtem Griff von hinten am Gürtel mit einzukleben. Klebe die Gürtelschnalle vorne auf den Gürtel.

4 Jetzt noch den Ohrring ergänzen: Schneide den Ohrring ein und klebe ihn vorne und hinten am Kopf an.

5 Nun kannst du den Piratenkopf etwas schräg vorne auf die Rolle kleben.

Piratenbraut

1 Beklebe die Toilettenpapierrolle oben mit schwarzem Tonpapier. Klebe rotes Tonpapier für den Rock auf und klebe hellgrüne Punkte darauf. Hefte die Rolle am oberen Ende zusammen.

2 Den Säbel kannst du wie beim Piraten beschrieben basteln und zusammen mit der goldenen Borte am Bund ankleben. Der Säbel wird zwischen die Borde und das goldene Papier eingeklebt.

3 Der Kopf wird genauso wie beim Piraten beschrieben gebastelt, nur diesmal mit einem pinkfarbenen Kopftuch. Den Kopftuchrand kannst du mit einer dünnen Linie verzieren. Nimm für die Haare rotbraune Wolle, schneide sie in ca. 10 cm lange Stücke, verknote die Fäden an einem Ende und klebe sie von hinten an das Kopftuch.

4 Jetzt kannst du den Kopf der Piratenbraut etwas schräg auf die Rolle kleben und die Goldkette aufmalen.

Schaurige Gespenster
Windspiele fürs Herbstfenster

ab 6 Jahren

MATERIAL
PRO FIGUR
* leerer Joghurtbecher, 150 g
* Styropor®-Kugel, ø 6 cm
* fester Fotokartonrest
* Tapetenkleister
* Zeitungspapier
* Papiermachébrei
* Acrylfarbe in Weiß und
  Schwarz
* Organzaband in Weiß,
  1,5 cm breit, 6 x 15 cm lang

VORLAGE SEITE 141

1 Diese Gespenster hast du schnell gemacht: Den Joghurtbecher und die Styropor®-Kugel mit tapetenkleistergetränkten Zeitungspapierschnipseln bekleben und trocknen lassen.

2 Währenddessen das Kopfteil und die Flügel aus Fotokarton ausschneiden. Zum Anbringen des Kopfteils einen Schlitz in die Kugel schneiden und das Kartonteil hineinstecken. Bei den Flügeln die Klebelaschen nach hinten falten und sie am Joghurtbecher festkleben.

3 Nun noch ein kleines Kartonrechteck aufrollen, zusammenkleben und mit Heißkleber als Hals zwischen Kugel und Becher befestigen. Danach die ganze Arbeit mit Papiermachépaste bestreichen und gut trocknen lassen.

4 Bemale die Figuren mit weißer Farbe. Mund und Augen können mit einem wasserfesten Stift oder mit Acrylfarbe aufgemalt werden. Die Wangen mit Buntstiftabrieb röten.

5 Wickle dem Gespenst ein Stück Organzaband um den Hals. Die anderen Stücke in verschiedenen Längen zusammentackern (ggf. vorher kürzen) und im Inneren der Figur mit Heißkleber befestigen.

Vier Abenteurer

tolle Fingerpüppchen aus Eierkartons

MATERIAL

PRINZESSIN

* Eierkartonzapfen, 6 cm hoch
* Eierkartonschälchen, ca. 2 cm hoch
* Alu-Bastelfolie in Gold, 9 cm x 2 cm
* Acrylfarbe in Hautfarbe und Pink
* Holzperlen, 1 x ø 2,5 cm (Kopf) und 3 x ø 1,2 cm
* Rundholzstäbchen, ø 3 mm, 5 cm lang
* feiner Filzstift in Schwarz
* Buntstift in Rot
* Chenilledraht in Pink, 10 cm lang
* Langhaarplüsch in Schwarz, 7 cm x 2 cm
* Lochzange

RITTER

* Eierkartonzapfen, 6 cm hoch
* 2 Eierkartonschälchen, 1,5 cm hoch
* Eierschachteldeckel
* Alukartonrest in Silber
* Acrylfarbe in Silber und Rot
* 2 Holzperlen, ø 1,2 cm
* Rundholzstäbchen, ø 3 mm, 4 cm lang
* Chenilledraht in Silber oder Weiß, 10 cm lang
* je 1 kleine Feder in Rot und Weiß

PIRAT

* Eierkartonzapfen, 6 cm hoch
* Eierkartonschälchen oder Fotokartonrest
* Alukartonrest in Silber
* Tonpapierrest in Weiß

* Acrylfarbe in Hautfarbe, Rot, Blau und Schwarz
* je 1 Holzperle, ø 2,5 cm und ø 1,2 cm
* Holzhalbperle, ø 8 mm
* Rundholzstäbchen, ø 3 mm, 5 cm lang
* feiner Filzstift in Schwarz
* Buntstift in Rot
* Konturenfarbe in Gold
* Chenilledraht in Blau, 12 cm lang und in Schwarz, 2 cm lang
* Aludraht in Silber, ø 1 mm, 3,5 cm lang
* Lochzange

INDIANER

* Eierkartonzapfen, 6 cm hoch
* Tonpapierstreifen in Blau, 0,5 cm x 10 cm
* Acrylfarbe in Orange, Ocker und Silber
* je 1 Holzperle, ø 2,5 cm und ø 1,2 cm
* Holzhalbperle, ø 8 mm
* Rundholzstäbchen, ø 3 mm, 5 cm und 15 cm lang
* Lackmalstift in Schwarz
* Filzstift in Blau
* Chenilledraht in Ocker, 10 cm lang
* Langhaarplüsch in Schwarz, 7 cm x 2 cm
* je 1 kleine Feder in Blau und Rot
* Lochzange

VORLAGE SEITE 140

ab 6 Jahren

Prinzessin

1 Für Rumpf und Kragen einen Zapfen und ein Schälchen aus einem Eierkarton mit der rauen Seite nach außen abschneiden. Den Zapfen an der Unterseite abrunden, das Schälchen als Kragen zurechtschneiden und jeweils in der Mitte lochen.

2 Grundiere beide Teile mit weißer Acrylfarbe und bemale dann den Zapfen als Kleid pink. Das Kleid auf beiden Seiten 1 cm unterhalb der Spitze durchstechen und den Chenilledraht als Arme durchziehen. Auf die Enden jeweils eine Holzperle stecken.

3 Das Rundholzstäbchen in die große Holzperle kleben, diese hautfarben bemalen und dann das Gesicht aufzeichnen. Die Wangen mit dem roten Buntstift aufmalen. Den Langhaarplüsch aufkleben und die Haare auf die gewünschte Länge kürzen. Den Kopf auf das Kleid aufstecken und zur Fixierung von unten auf das Rundholzstäbchen die kleine Holzperle stecken. Für die Krone die Goldfolie zu einem Ring kleben und die Kronenzacken einschneiden.

Ritter

1 Den Zapfen an der Unterseite abrunden. Von den Schälchen nur die Spitzen abschneiden. Für die Arme und Hände vom Schachteldeckel zwei Streifen, 4,5 cm x 1 cm, und vier Streifen, 4,5 cm x 1,5 cm, ausschneiden. Hinzu kommen noch der Kragen und der Schild.

2 Für den Helm sollten die beiden Schälchenspitzen genau aufeinander passen, wenn die Schnittkanten aneinander gelegt werden. Das obere Helmteil an der Spitze für die Federn durchstechen und an einer Ecke mit einem Sehschlitz versehen. Das untere Helmteil nur an der Spitze durchbohren und das Holzstäbchen durchstecken. Auf das obere Stäbchenende eine Holzperle aufkleben. Nun das obere Helmteil aufkleben.

3 Aus den Kartonstreifen sechs Ringe, ø 1 cm, kleben. Alle Kartonteile silbern bemalen. Den Zapfen 1 cm auf beiden Seiten unterhalb der Spitze für die Arme durchstechen und den Chenilledraht durchziehen. Auf die Arme jeweils zuerst zwei breitere und dann einen schmalen Kartonring aufstecken. Das Holzstäbchen durch den Kra-

gen und die Zapfenspitze stecken. Zur Fixierung von unten die zweite Holzperle auf das Holzstäbchen aufstecken.

4 Die Vorlage für das Schwert überträgst du auf Alukarton, ausschneiden und in eine Hand kleben. Den Schild gemäß Abbildung mit roter Acrylfarbe bemalen und an die andere Hand kleben. Zum Schluss die Federn ergänzen.

Pirat

1 Den Zapfen an der Unterseite abrunden und lochen. Von Hut und Kragen jeweils eine Schablone anfertigen. Das Hutteil doppelt ausschneiden. Die beiden Ärmelaufschläge messen 4,5 cm x 1 cm.

2 Das Rundholzstäbchen als Hals in die große Holzperle kleben. Die Halbperle als Nase aufkleben und dann den Kopf hautfarben bemalen. Die Wangen mit Buntstift röten. Augenklappe und Auge aufmalen. Die beiden Hutteile schwarz anmalen und nur an den Enden aufeinanderkleben. Den Hut aufsetzen und den Bart ankleben. Kragen und Manschetten rot und den Zapfen blau anmalen.

3 Den Zapfen auf beiden Seiten 1 cm unterhalb der Spitze mit der Vorstechnadel durchstechen und die Chenilledrahtarme durchziehen. Den Stäbchenhals durch den Kragen und die Zapfenspitze stecken. Zur Fixierung von unten

die übrige Holzperle aufstecken. Aus dem Aludraht einen Haken formen. Die Manschetten aufstecken und Säbel und Haken ergänzen. Zum Schluss mit Konturenfarbe die Goldknöpfe auftupfen.

Indianer

1 Den Zapfen an der Unterseite abrunden, mit weißer Acrylfarbe grundieren und dann ockerfarben bemalen. Das 5 cm lange Rundholzstäbchen als Hals in die große Holzperle kleben. Die Halbperle als Nase aufkleben und den Kopf orange bemalen. Nach dem Trocknen das Gesicht aufmalen.

2 Den Langhaarplüsch aufkleben und die Haare auf die gewünschte Länge kürzen. Die Spitze des 15 cm langen Rundholzstäbchens mit Acrylfarbe in Silber und Rot bemalen, das Stirnband mit Filzstift in Blau mustern. Das Stirnband um den Kopf kleben. Dabei die beiden Federn miteinkleben.

3 Den Zapfen auf beiden Seiten 1 cm unterhalb der Spitze mit der Vorstechnadel durchstechen und die Chenilledrahtarme durchziehen. Den Stäbchenhals durch die gelochte Zapfenspitze stecken. Zur Fixierung von unten die andere Holzperle aufstecken. Zuletzt kannst du den Chenilledraht als Hand um den Speer biegen.

Freche Masken
witzig und bizarr

ab 4 Jahren

MATERIAL
* Pappkarton, der gut
  über deinen Kopf
  passt, oder große
  Papiertüte
* Krepppapierstreifen
  in Gelb und Grün,
  2 cm breit
* Fotokartonreste in
  verschiedenen Far-
  ben
* Stoffband in Blau,
  ca. 2 cm breit,
  30 cm lang
* Wasserfarben oder

* Acrylfarben in ver-
  schiedenen Farben
* dicker Filzstift in
  Schwarz
* Pinsel
* Wasserglas
* Schere
* Klebstoff
* Bleistift
* große Pappe als
  Unterlage

**VORLAGE
SEITE 143**

1 Zeichne Augen, Nase und Mund auf den Karton oder die Tüte und schneide
sie aus.

2 Jetzt male die Gesichter auf. Schiebe dafür ein großes Pappstück in die
Tüte, damit die Farbe nicht auf die Rückseite durchfärbt.

3 Für die Haare schneidest du die Krepppapierstreifen in 20 cm bis 30 cm
lange Stücke und klebst sie oben auf den Karton oder die Tüte. Wenn du die
Streifen etwas um die geschlossene Scherenspitze rollst, bekommen die Haare
kleine Locken.

4 Für den Dutt des Mädchens nimmst du ein 10 cm x 20 cm großes Krepppa-
pierstück und faltest es der Länge nach in der Mitte. Knülle das Papier etwas,
sodass es rund wird. Klebe den Dutt in die Mitte der Haare und binde das
Band um. Das Monster bekommt noch Ohren und Zähne. Übertrage die Vorlagen auf Tonkarton und schneide sie aus. Klebe die Ohren rechts und links auf
den Karton. Die Zähne klebst du von innen an die Mundöffnung.

Luftballonrasseln

ganz einfach

ab 6 Jahren

1 Die wahrscheinlich schnellstgemachte Rassel der Welt: Schneide das Mundstück vom Ballon ab und stülpe ihn über eine Seite der Papprolle.

2 Die Papprolle mit Reis, Erbsen oder Mais füllen.

3 Die andere Seite mit dem anderen Ballon verschließen.

Piraten in Sicht!
Fernglas und Fernrohr aus Papprollen

ab 3 Jahren

MATERIAL
* Acrylfarbe in Schwarz
* Klebstoff
* dicker Haarpinsel

ZUSÄTZLICH FERNGLAS
* 2 Klopapierrollen
* Dekobänder in Gold, 4 x 5 mm breit, 17 cm lang
* Dekobänder in Rot, 2 x 1,5 cm breit, 17 cm lang
* Kordel in Rot, ø 7 mm, 1 m lang

ZUSÄTZLICH FERNROHR
* Küchenrolle
* Dekoband in Gold, 4 cm breit, 17 cm lang
* Dekobänder in Rot, 2 x 1,5 cm breit, 17 cm lang
* Klebesternchen in Silber, ø 2 cm

Fernglas

1 Bevor es auf große Entdeckungsreise geht, malst du die beiden Klorollen mit der schwarzen Acrylfarbe und dem Haarpinsel an. Die Farbe sollte gut trocknen.

2 Nun streichst du den Klebstoff auf die vier goldenen Bänder und klebst sie gleichmäßig um die Klorollen herum auf.

3 Klebe die beiden Rollen mit Klebstoff zusammen und fixiere sie mit zwei Wäscheklammern oben und unten solange, bis der Klebstoff getrocknet ist.

4 Bohre mit einer spitzen Schere links oben und rechts oben jeweils zwei Löcher im Abstand von 2 cm, ziehe die Kordel hindurch und verknote diese.

Fernrohr

1 Male die Küchenrolle mit der schwarzen Acrylfarbe und dem Haarpinsel an. Die Farbe gut trocknen lassen.

2 Nun streichst du den Klebstoff auf die zwei roten Bänder und klebst sie gleichmäßig um die Küchenrolle herum auf. Genauso klebst du auch das breite goldene Band am Ende der Rolle auf.

3 Löse das Klebesternchen von der Folie und klebe es auf eine beliebige Stelle auf dem Fernrohr. Am besten auf die gegenüberliegende Seite des goldenen Bandes. Und schon kannst du auf große Kaperfahrt fahren!

Großer Regenmacher

Lass' es regnen!

ab 5 Jahren

1 Schlage mit dem Hammer die Nägel in die Pappröhre. Setze die Nägel dazu nebeneinander am Klebefalz an, der sich spiralförmig um die Röhre windet. Dort lassen sich die Nägel leichter einschlagen.

2 Fülle den Reis oder die Linsen in die Röhre und verschließe sie mit dem Deckel.

3 Bemale deinen Regenmacher mit Acrylfarbe und klebe die bunten Federn auf. Wenn du den Regenmacher jetzt mit dem Deckel nach oben bzw. unten hältst, kannst du hören, wie der Regen darin prasselt.

Dino-Füße

großspurig

ab 4 Jahren

1 Forme aus dem Zeitungspapier die Krallen der Dino-Füße. Jeder Fuß bekommt fünf Krallen.

2 Streiche die Dosen mit Kleister ein und beklebe sie mit Zeitungspapierschnipseln. Klebe die Krallen mit Kleister unten auf die Dose – vier Krallen zeigen nach vorn, eine nach hinten. Klebe ringsherum nochmals Schnipsel auf die Dosen und die Krallen, damit die Dino-Füße stabiler werden. Lasse dann den Kleister gut trocknen.

3 Male die Dinofüße bunt an und lasse die Farbe trocknen. Dann schlägst du die Löcher für die Schnüre ein. Jede Dose bekommt zwei Löcher, die sich gegenüber liegen. Nimm dazu den Hammer und den Nagel und lasse dir von einem Erwachsenen helfen.

4 Schneide von der Paketschnur lange Stücke ab, an denen du die Dino-Füße festhalten kannst. Passe die Schnüre an deine Größe an. Wenn du auf den Dosen stehst, müssen die Schnüre von der Dose bis zu deiner Hüfte und wieder zur Dose reichen. Stecke die Enden der Schnüre durch die Löcher und verknote sie.

133

Vorlagen

Wirbelnde Windräder
Vorlage auf 200% vergrößern
Seite 16/17

Tapferer Wikinger
Vorlage auf 200% vergrößern
Seite 18/19

Für den Kauf-
laden
Vorlage auf 200% vergrößern
Seite 48/49

Graziöse Balerinen
Vorlage auf 200% vergrößern
Seite 20/21

Ritter Jakob
Vorlage auf 400% vergrößern
Seite 23

Fette Beute
Vorlage auf 250% vergrößern
Seite 25

Türschilder mit Wappen
Vorlage auf 400% vergrößern
Seite 22

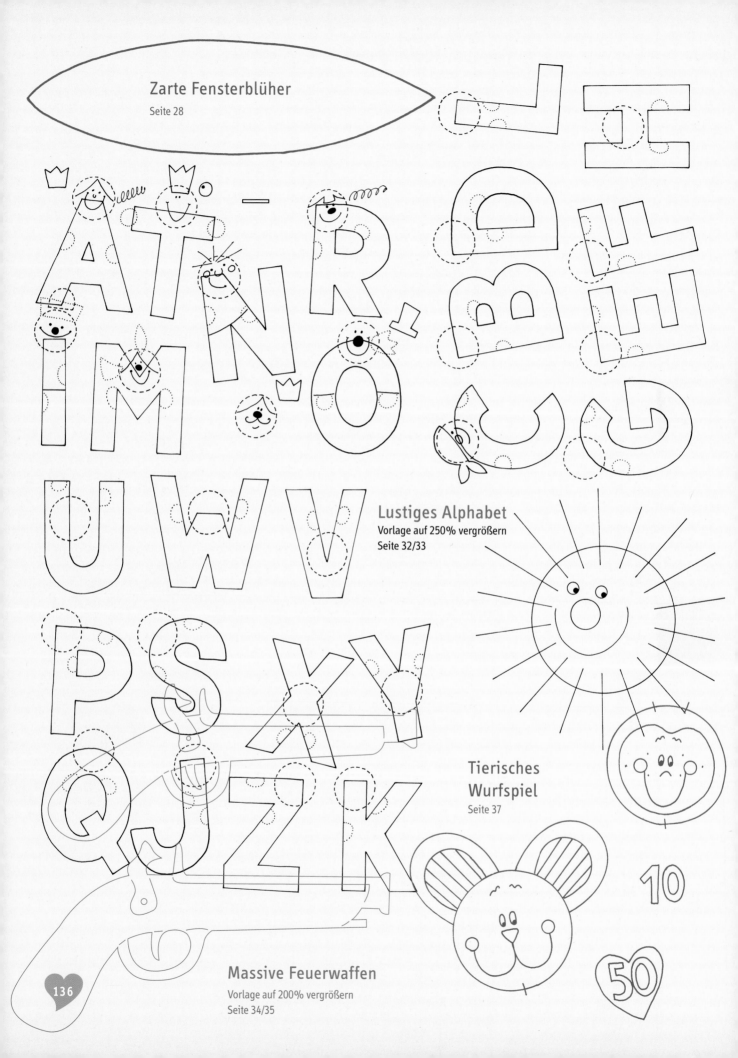

Zarte Fensterblüher
Seite 28

Lustiges Alphabet
Vorlage auf 250% vergrößern
Seite 32/33

Tierisches
Wurfspiel
Seite 37

Massive Feuerwaffen
Vorlage auf 200% vergrößern
Seite 34/35

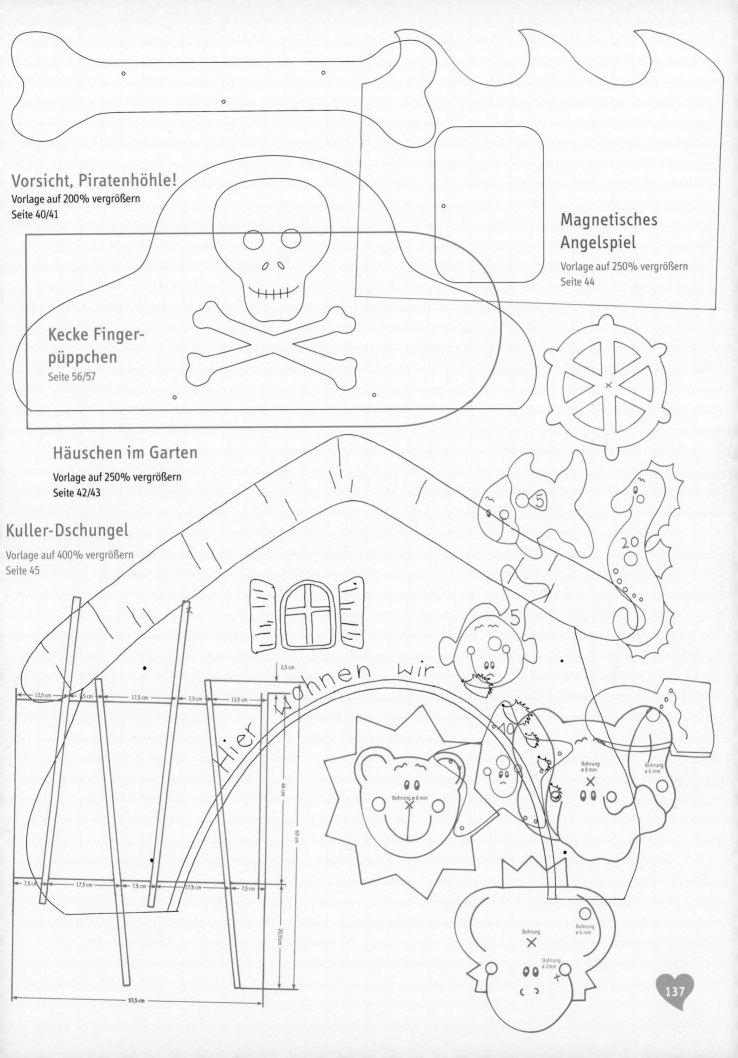

Vorsicht, Piratenhöhle!
Vorlage auf 200% vergrößern
Seite 40/41

Kecke Finger-
püppchen
Seite 56/57

Häuschen im Garten
Vorlage auf 250% vergrößern
Seite 42/43

Kuller-Dschungel
Vorlage auf 400% vergrößern
Seite 45

Magnetisches
Angelspiel
Vorlage auf 250% vergrößern
Seite 44

Hier wohnen wir

Bohrung ø 8 mm
Bohrung ø 8 mm
Bohrung ø 6 mm
Bohrung ø 8 mm
Bohrung ø 6 mm
Bohrung ø 2mm

2,5 cm
12,5 cm 7,5 cm 17,5 cm 7,5 cm 12,5 cm
7,5 cm 17,5 cm 7,5 cm 17,5 cm 7,5 cm
46 cm
69 cm
20,5 cm
57,5 cm

5
20
5

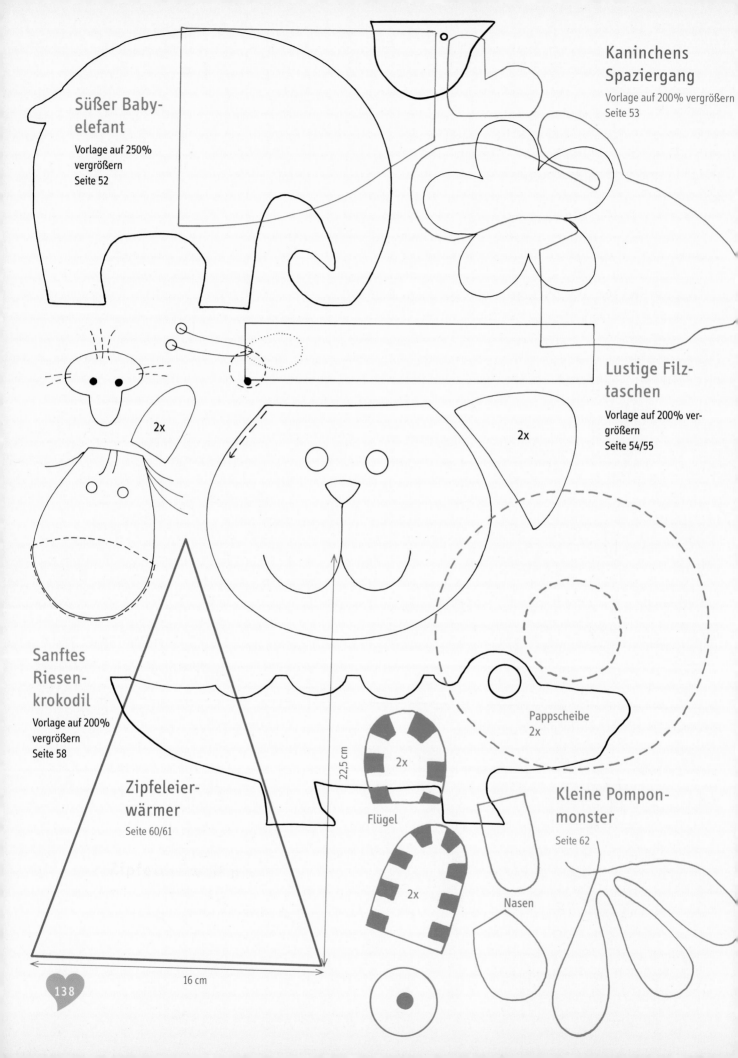

Süßer Baby-
elefant

Vorlage auf 250%
vergrößern
Seite 52

Kaninchens
Spaziergang

Vorlage auf 200% vergrößern
Seite 53

Lustige Filz-
taschen

Vorlage auf 200% ver-
größern
Seite 54/55

2x

2x

Sanftes
Riesen-
krokodil

Vorlage auf 200%
vergrößern
Seite 58

Pappscheibe
2x

Zipfeleier-
wärmer

Seite 60/61

22,5 cm

Flügel

2x

2x

Kleine Pompon-
monster

Seite 62

Nasen

138

16 cm

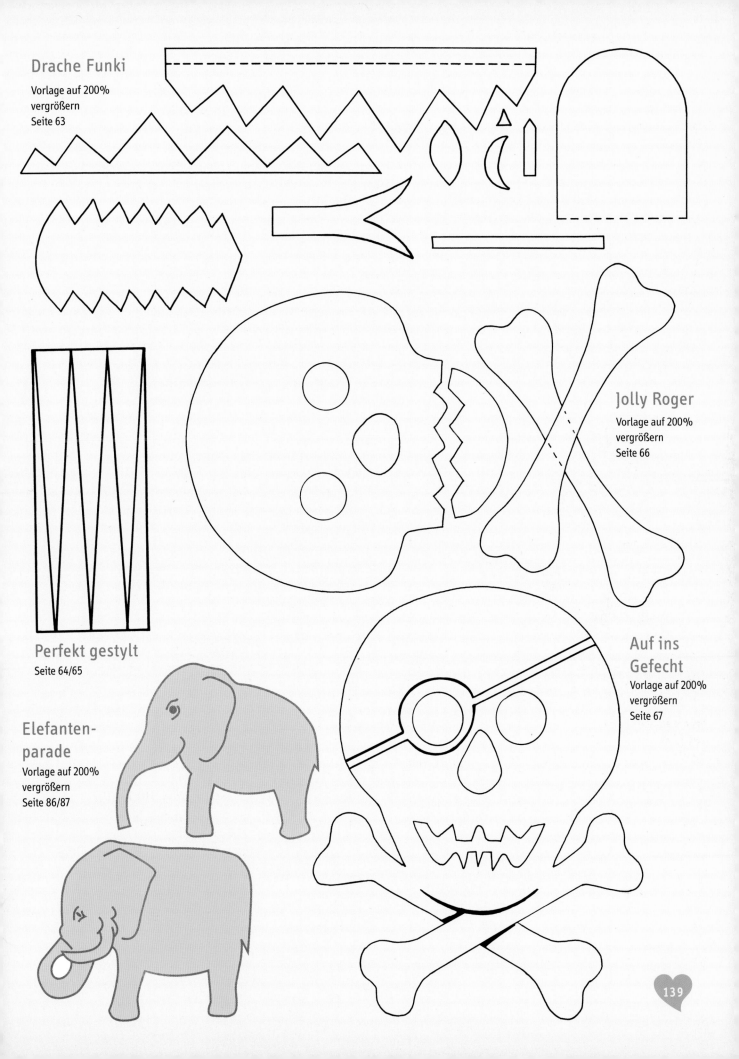

Drache Funki

Vorlage auf 200%
vergrößern
Seite 63

Jolly Roger

Vorlage auf 200%
vergrößern
Seite 66

Perfekt gestylt

Seite 64/65

**Auf ins
Gefecht**

Vorlage auf 200%
vergrößern
Seite 67

**Elefanten-
parade**

Vorlage auf 200%
vergrößern
Seite 86/87

139

Freche
Piratenbande

Vorlage auf 400%
vergrößern
Seite 68/69

Vier Abenteurer

Seite 126/127

Fieses
Gaunerpaar

Seite 124

Schneckenrennen

Vorlage auf 200% vergrößern
Seite 76/77

140

Freche Piratenbande

Vorlage auf 400% vergrößern
Seite 68/69

Kürbisfiguren

Vorlage auf 200% vergrößern
Seite 80/81

Bunte Shampoofische

Vorlage auf 200% vergrößern
Seite 119

Schaurige Gespenster

Vorlage auf 200% vergrößern
Seite 125

141

73

Insektenhotel

Willkommen!

Vorlage auf 200% vergrößern
Seite 90/91

Püntchen-Malerei

Vorlage auf 200% vergrößern
Seite 100/101

Der coole Kalle

Vorlage auf 250% vergrößern
Seite 24

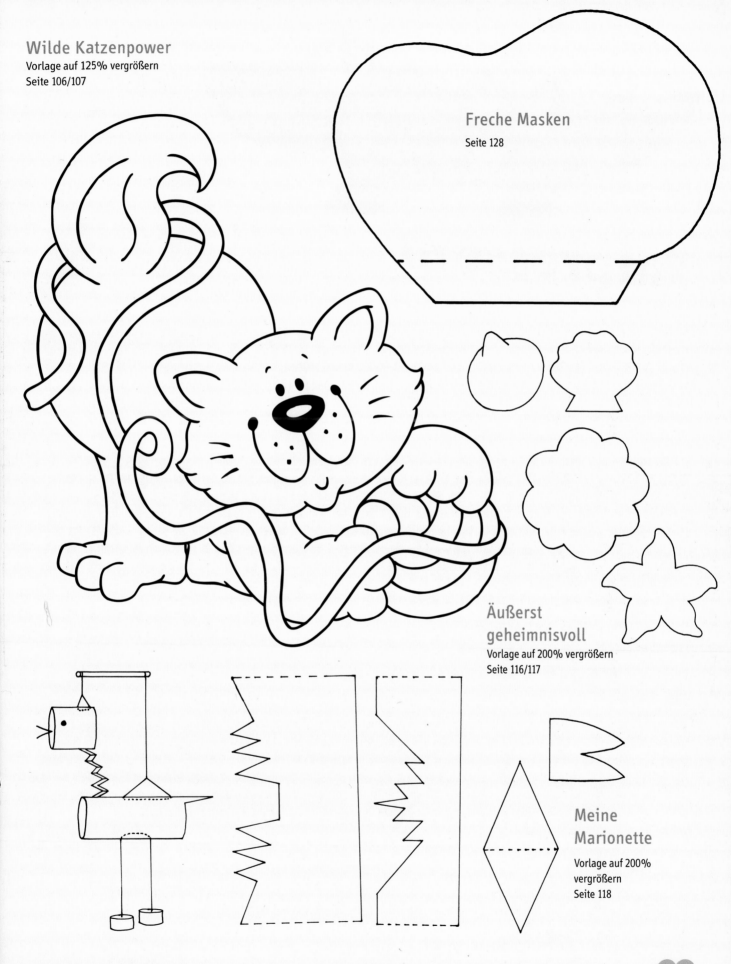

Wilde Katzenpower
Vorlage auf 125% vergrößern
Seite 106/107

Freche Masken
Seite 128

Äußerst
geheimnisvoll
Vorlage auf 200% vergrößern
Seite 116/117

Meine
Marionette

Vorlage auf 200%
vergrößern
Seite 118

143